CW00684020

Le fantôme de ma mère

**Fabiola Fate**

# Le fantôme de ma mère

*Roman*

ISBN : 979-10-377-5958-0

# Préambule

J'ai cinquante-trois ans avec un corps malmené par les ans qui défilent, dominé par une âme d'enfant.

Une sempiternelle question se pose à moi : « Quand vas-tu cesser de mourir, *maman* ? »

Quarante-cinq années que je te déterre, *maman*, sans comprendre pourquoi autant d'embruns t'enveloppent encore et encore…

J'ai oublié ton sourire, ton regard sur moi ainsi que la douceur de tes mains sur ma peau. Ma mémoire s'exile vers les profondeurs de l'oubli et pourtant, lorsque je pense à toi, mon cœur se brise en mille morceaux.

Ta disparition engloutit mon présent. J'ai besoin de toi, toujours.

Depuis, mon amour pour toi n'a pas traversé mes âges. À mes huit ans, il a stoppé sa course. J'ai cinquante-trois ans : je t'aime comme une petite fille. Je ne grandis pas.

L'édifice de la vie que je tente de bâtir s'écroule tel un château de cartes : le terrain est mouvant. Tu n'es plus là pour ancrer fermement mes pieds dans le sol de la vie.

À quarante ans, je suis internée en clinique psychiatrique : des pensées morbides me détruisent. Je ne suis plus personne, juste une entité en mal de vivre. Ma vie devient une lutte sans répit. Il me faut plus d'une décennie pour combattre ce mal qui a rongé mon cerveau.

Dès lors, je parcours l'historique de mon malheur : ton absence dans mon quotidien !

Je m'attelle à cette tâche pour me hasarder à vivre sans toi. Il le faut, sinon, je vais dépérir et chercher à te rejoindre. Je m'accroche à ton image floutée par le temps pour poursuivre ma quête de toi.

Emplie d'espoirs, je m'attache à dessiner mon histoire avec toi.

## En transit

*Maman*, quand j'ai huit ans, je ne comprends pas ce qu'est la mort et encore moins la tienne.

Dans nos jeux d'enfants, « mourir » signifie « faire mine de mourir ». Ce n'est pas pour de vrai. Puisque tu fais semblant, tu viendras ce soir, comme d'habitude, me conter une histoire. Dorénavant, je ne laisserai jamais plus ce silence obsédant m'envelopper et j'écouterai une de tes fables d'antan tinter dans ma tête : je mènerai alors une vie chimérique…

De ces songes construits de toutes pièces sont nés l'espoir et le fantasme. Je troque ton cadavre contre un personnage irréel. Je ne freine pas mon envie de vivre au pays des fantômes. Je sais que là-bas, je te retrouverai.

*Maman*, tu n'as pas la réalité morbide d'un cadavre. C'est moi qui deviens lugubre : je suis suicidaire.

Petite fille de huit ans, sans toi à mes côtés, *maman*, je ne suis rien.

Je t'attends, tu ne viens pas. Je t'appelle, tu ne réponds pas. Je pleure, tu ne me consoles pas. Je suis là et tu n'es nulle part. La frustration devient ma compagne de tous les jours : je ne décolérerai désormais plus jamais de t'avoir perdue.

Je t'appelle : « maman, maman, maman ! », mais seul l'écho de ma voix enfantine traverse un terrible silence. Ce mot n'étirera plus de sourire et mes lèvres seront à jamais murées dessus. Il se consumera avec abattement dans ma gorge. Il sera relégué à jamais dans de silencieuses pensées. Mutilée, je n'ai le plus droit de prononcer : « maman », mais le calligraphier noue un lien avec toi qui durera un temps et s'étiolera lorsque j'aurai fini de t'écrire… L'inflexion immuable de ce mot nous rappelle que sans lui nous ne serions pas. Ce tendre mot apaise les douleurs, réconforte nos détresses et nous rappelle que nous sommes vivants et aimés. C'est aussi un cri d'amour utilisé pour appeler, rappeler que nous avons un besoin et que ce dernier est reconnu par le « oui » quelquefois exaspéré, mais entendu ! Dorénavant, *maman*, je ne recueille plus ton regard affectueux ni même mécontent…

T'écrire est mon unique refuge, mais tu ne me liras jamais.

Communiquer avec toi à travers des écrits semble vain.

Cependant, j'ai l'impression de poursuivre ma vie avec toi à mes côtés. Tu deviens, malgré toi, complice de mes histoires. Tu es mon héroïne. Brodée de souvenirs épars et de ceux des autres, je te façonne comme j'œuvrerai pour édifier une sculpture. Bien évidemment, tu n'as que de belles choses à livrer. En suivant mes humeurs, je dispose de toi. Néanmoins, la réalité frappe fort et sinistrement. Ton absence impacte ma vie quotidienne : mes pensées et mon cœur sont saccagés.

Je n'entendrai plus :

« Fabiola, va te coucher, je vais venir t'embrasser après.

— Tu pourras me lire une histoire, maman ?

— Oui, puis bisou et tu n'insistes pas pour en avoir une autre, d'accord ?

— Oui, maman. »

« Fabiola, tu m'énerves là, tu as encore renversé ton lait !

— Pardon, je ne l'ai pas fait exprès.

— Oui, mais quand même tu pourrais faire attention ! »

« Maman, maman j'ai mal, je suis tombée du vélo.

— Fais voir que je te soigne ça. Ça va piquer un peu, je vais désinfecter avec de l'alcool.

— Aïe ! »

« Maman, ça sent bon, tu fais les pâtes que j'aime ?

— Oui, ma chérie.

— T'es trop gentille, ma maman ! »

Avec une voix d'amour maternel, qui va me dire des phrases pareilles ? Hein, qui ?

À ce jour, tu n'es pas encore cachée dans ta boîte en pin. Tu vis chez nous usée par un cancer qui te ronge les boyaux. Je loge, dorénavant, à huit cents kilomètres de toi. Je vis chez un oncle et une tante. Une décision a été prise : un de tes trois enfants ira chez eux pour que tu puisses te reposer. Malheur à moi, le choix s'est porté sur ma petite personne. Je refuse. Mes larmes n'ont convaincu personne et je pars pour deux ans loin de toi.

*Maman*, tu m'abandonnes…

Alors que tu demeures loin de moi, tu m'écris. Tes lettres cheminent entre ta maladie et ton départ imminent vers le ciel, l'éternité, que sais-je ? Je suis une enfant et je repousse catégoriquement les allusions faites sur ta fin proche. Je me bouche les oreilles : je ne veux pas entendre ces stupidités sur toi.

Une maman, c'est fort, c'est très fort même et ça ne meurt jamais !

Quelque part, j'ai une mère… De fait, ton personnage prend une tournure virtuelle. Mes élucubrations s'affirment. Tout en étant invisible et inaudible, tu es vivante.

En cachette de mon oncle et de ma tante, le soir dans mon lit, je crée des historiettes avec toi. Ces adultes sont particulièrement stressants et angoissants. Chez eux, je suis coincée par des règles psychorigides. Ils sont sévères et très exigeants sur les activités scolaires. Comme ils sont enseignants en primaire, je dois aussi les supporter à l'école. Je suis sous surveillance constante. C'est ma tante qui a ce beau rôle. Je les redoute : je ne suis pas heureuse avec eux. Je navigue dans une maison surchargée de bibelots et habillée de meubles foncés : il reste si peu de place pour jouer. J'étouffe au milieu d'immenses plantes vertes qui prennent la poussière et mangent mon oxygène. Malgré leurs efforts pour m'assurer tout le confort matériel, ils n'ont jamais eu de tendresse affichée pour que je puisse m'épanouir dans des bras autres que les tiens. Ma tante a la particularité de parler avec une coulée de fiel dans sa bouche. Ses mots tuent net ! Un jour, elle prononce : « Tu ressembles à ta mère, vous avez le même visage, mais la similitude s'arrête là. » Au dire de ton entourage, *maman*, tu étais un personnage parfait, mais, malheureusement, je n'ai que ma bouille pour rappeler une ébauche de toi. Quant au reste : ma personnalité n'est pas à la hauteur de ta puissance morale. Cette phrase cruelle me rapetisse : je souhaite m'effacer pour toujours. Je suis indigne de toi, *maman* : je ne suis pas aimable.

Quant à mon oncle, c'est un taiseux pathologique. Il ne prononce pas plus de trois mots par jour. Lorsque je suis face à lui, son silence oppressant mêlé à la fumée de ses cigarettes me tétanise. Cette indifférence prédomine : elle me blesse. C'est ton frère et le seul qui peut me raconter des histoires sur toi quand tu étais une petite fille, une jeune fille, mais les mots restent bloqués au portail de ses lèvres. Je demeure plantée là, devant lui, avec mes silencieuses questions sur toi. Aucun son n'affleurera ma gorge : j'apprends à me taire…

Je languis deux ans dans une ambiance familiale faite d'une harpie et d'un ours !

Par un beau soleil d'été, avec mes camarades, nous courons après un prince fictif. Nous sommes déguisées en princesses. Le jeu a la particularité de tout me faire oublier : je ne poursuis plus ma course à te chercher. Soudain, j'entends le son d'une voix criarde. C'est ma tante qui m'interpelle à l'autre bout du hameau. Il faut que je rentre. Je m'éloigne de mes amis, frustrée de délaisser notre conte moyenâgeux.

À mon approche, la voix hurlante se radoucit. Elle pleurniche : « Ta maman est partie, elle ne souffre plus. » Naïvement, je réponds : « Ouf, elle ne souffre plus, mais elle est partie où ? »

Ma figure sidérée amène des explications supplémentaires : « Ta maman est au ciel. » Je lève mon regard vers le firmament et je n'aperçois qu'une immensité inatteignable.

La tristesse sur le visage de ma tante m'alarme : une réalité insoutenable, alors, m'atteint de plein fouet. Il faut réagir ! Je ne sais pas comment. Je ne comprends pas bien ce qui se passe. J'ai neuf ans.

Cependant, je ne peux pas rester de marbre à cette nouvelle, je risque de subir le regard d'acier de tata. Sans retenue, j'ai une réaction brutale. Je me jette à terre et je me roule comme une éperdue en hurlant. Je n'éprouve pas de douleur. Je suis encore animée par mes chevaliers, mes fiefs et mes croisades avec les copains : je suis une enfant. Cependant, je sais pertinemment qu'il faut que je me manifeste. C'est grave, ce qui arrive : ma maman est morte…

Ton décès cause un remue-ménage dans la maison. On s'affaire, on ne s'occupe pas de ma peine. Alors, j'ai tout loisir pour réfléchir. Je suis affectée et sans comprendre, je commence à souffrir. Alors, je te cherche et puis je compte… Je relève tous les jours où, vivante, tu aurais pu m'aimer, où j'aurais pu profiter de ton existence. On m'a volé tous ces jours : une année !

Pourquoi ?

J'en veux à la terre entière !

Les personnes mortes, on les enterre. Je suis prête. Je veux te voir une dernière fois. Cependant, toute la famille part à ton enterrement et je dois rester auprès de mon maître d'école qui va s'occuper de moi. Tout le monde soutient que je ne suis pas en mesure de te voir pour la mise en bière : je suis bien trop jeune. On souhaite m'épargner. Bien sûr, je n'entends pas cette décision et je ne fais que larmoyer chez mon maître d'école, de jour comme de nuit. Ces mots « cercueil », « trou », « Dieu », « tombe » s'abattent sur moi comme la foudre sur un arbre. Pourtant, je demeure sous ce chêne : j'attends toujours que tu guérisses. Je n'ai rien vu, rien senti, rien compris : je n'étais pas présente à ton enterrement !

Trop petite pour rester auprès de toi pendant un an et trop petite pour t'enterrer, je fus isolée de tout ce qui te concernait : je me sens rejetée. Je ne suis pas assez grande pour te voir endormie dans ton cercueil. Je ne pourrai pas discerner ton visage de cire ni tes paupières fermées pour l'éternité et je ne distinguerai pas tes lèvres figées sur ta dernière inspiration.

Je n'aurais, pourtant, pas dérangé ton sommeil… Je ne t'ai pas vue morte !

Dommage. Ce dernier cliché en mémoire m'aurait permis de mettre un point final à ta vie terrestre. Mon âme d'enfant aurait bien été obligée de croire à ta disparition.

Trois mois après ton envolée au ciel, pépé, ton papa, meurt de chagrin. Il n'a pas survécu à ton départ. Je ne sais pas par quel miracle, mais j'ai grandi de manière prodigieuse. En effet, pour mon grand-père, j'ai « l'honneur » d'assister à son enterrement.

Avant son décès, tous les soirs, les adultes m'obligent à tenir la main de pépé alors plongé dans le coma. Je vois son visage fermé, ses yeux clos avec juste un filet d'air qui sort de sa bouche pour nous rappeler un petit vent de vie. C'est intensément sinistre. Pépé meurt rapidement. Il me laisse le souvenir d'un homme apathique dont je craignais la morosité et le silence. Même silencieux, un de mes sens se régalait : j'aimais son odeur. Il traînait derrière lui un effluve de fruits mûrs. Vêtu d'une blouse grise, il récoltait ses pommes et ses poires puis il les amassait dans sa cave. Il vivait essentiellement sous la maison comme un rat… *Maman*, lorsque le cercueil de ton papa a été mis en terre, j'ai vu un petit bout de ta boîte en pin. Sur le moment, cela m'a soulagée de te savoir là : tu avais un lieu où tu reposais. Puis, j'ai refusé cette évidence. Qui me dit que c'est toi qui es confinée dans cette bière ? Pépé, je sais, je l'ai vu. Mais toi, tu es ce que l'on a bien voulu me raconter : une histoire…

J'ai neuf ans maintenant. Je suis dotée d'une imagination débordante alors je ne te laisse pas partir comme ça, *maman*. Dorénavant, je ne joue plus aux princesses, mais à cache-cache avec toi. Je t'invente sans tristesse et je t'accueille, avec joie, dans mes pensées.

Dans un bus, une grande femme brune me tourne le dos. J'observe sa longue chevelure noire et j'imagine que tu es assise là. Mon cœur s'allège : tu vis.

Une bonne sœur au collège te ressemble. L'allure, la douceur, la physionomie, le sourire, tout y est ! Je l'aime beaucoup et je fais tout pour qu'elle s'intéresse à moi.

Plus tard, je tombe « amoureuse » de ma professeure de dessin. Elle est grande, brune, elle a un visage émacié et ce large sourire fermé, tout comme toi. J'imagine alors qu'elle m'adopte et je crée des scénarii dans ma tête. Je fais défiler des saynètes de tous les jours : un petit-déjeuner ensemble, une lecture au coucher, une balade dans les bois… Je pousse l'excentricité à l'interpeller « maman », juste pour goûter à nouveau à l'élocution de ce mot interdit. Gênée, elle me renvoie de timides sourires et me repousse gentiment. Je dérange par mes extravagances ! Ce ne sont pas les premières ni les dernières que je jouerai pour trouver une place dans ce monde cruel qui ne veut pas me chérir. Dès lors, j'allonge mon pas dans une course effrénée pour un regard qui se troublerait d'amour pour moi.

Aussi, je t'utilise comme « bonne fée ». Tout ce qui m'arrive de bien n'est dû qu'à ton coup de baguette magique. J'ai peu de moyens et je prends le bus à l'œil. Combien de fois, tu payes mon billet pour éviter que je ne reçoive une amende ! Toutefois, si je me mets en situation délicate et qu'elle ne se débloque pas, je me méprise. Je m'incrimine de ne pas avoir été à la hauteur de tes attentes. Tu me punis en me laissant seule face à des situations scabreuses : tu ne m'aides pas…

Lorsque mes divagations s'estompent, la frustration, la colère et l'incongruité de mes scénarii délirants me saisissent. Je reçois, alors, une claque mentale : je prends réellement conscience que tu es irremplaçable. Là, j'ai envie de hurler ta mort !

« Va, va, petite fille, replonger ta tête dans l'oreiller et enfouir tes sanglots : il ne te reste que le coussin ! » Malgré les déguisements dont je t'affuble me restent en mémoire tes jambes interminables et tes fines mains. À l'avenir, je serai toujours fascinée par les grandes mains aux ongles longs vernis de rouge.

À la recherche d'un petit quelque chose de toi, j'étudie les mamans de mes copines. Avec les plus intimes, je me fais aimer par leur mère. Cette dernière doit correspondre à certains critères. J'ai des exigences, je peux me le permettre. Tout le monde n'a pas l'honneur d'être ne serait-ce qu'un lentigo de toi. Ces petites filles ont naturellement des griefs envers leur mère. Cependant, elles ne voient pas la chance à déposer leur cartable dans l'entrée et entendre : « C'est toi, ma chérie ? » Cette interrogation n'est qu'amour !

Ma quête d'une maman se poursuit… Le drame est là. Je ne crois pas à ta mort. Je t'imagine dans un autre monde que le mien, mais vivante. Tu ne peux pas mourir sinon moi, je ne peux pas vivre. S'il n'y a pas de mère, il n'y a pas de petite fille. Pourtant, j'existe !

Que faire : je vis ou je me laisse mourir pour te rejoindre ? De plus, je plonge dans une position sociale bancale. Le mot « maman » s'est de lui-même banni de ma bouche et je me métamorphose en un être errant dans un monde qui n'est plus fait pour lui. C'est ainsi que je deviens la bête curieuse de la classe, l'enfant à part, l'enfant que jamais plus sa maman ne viendra chercher à l'école. Les camarades de classe n'ont de cesse de me cracher à la figure des : « Tu n'as pas de maman ! » Puis, ils enveloppent cette phrase d'un rire sardonique.

J'aimerais tant sourire de mon statut d'orpheline et que le monde me fasse rire pour sécher mon chagrin, mais la réalité est contraire : je subis la perfidie ou l'indifférence.

En classe, lors de la préparation de la fête des Mères, je m'agite sur ma chaise. Je ne sais pas quoi dessiner ni écrire. Pendant que tout le monde s'affaire sur sa petite composition, je baisse la tête, honteuse de ne pas être comme les autres. Je me terre dans le silence jusqu'à ce que se termine cette mascarade !

Mon chagrin prend différentes formes.

Tantôt, mes larmes coulent comme un fleuve tranquille, mais elles ne me soulagent pas : elles s'accrochent et forment une boule amère au fond de ma gorge. Ma tristesse est emprisonnée et mon ventre tout crispé.

Tantôt, n'en pouvant plus, elles se précipitent comme un orage pluvieux et m'inondent le visage. La colère déboule alors, gagne mon corps et mon esprit : elle les ronge de sa bile.

Dans les deux cas, je m'enferme dans un brouillard humide et j'agrandis ma blessure. Cette plaie croît avec ma croissance.

Pour un enfant, une maman, c'est beaucoup : c'est tout ! C'est aussi trop « tout ».

La première année, chez l'oncle et la tante, j'avais ton courrier qui me permettait de patienter en espérant ton retour vers moi. Mais tu n'es jamais revenue. De fait, tes lettres sont devenues sacrées. Je les ai lues et relues, le papier en est tout chiffonné. Cependant, après une boulimie de lecture de tes courriers, le contenu finit par me désappointer. J'aurais aimé des lettres imbibées de tendresse amoureuse ; des dépêches qui durent dans le temps ; des mots d'amour à lire et à relire pour que chaque pas dans ma vie soit plus facile, moins lourd et moins solitaire. C'est consternant tes lettres, elles ne contiennent que des recommandations à ne pas importuner mon oncle et ma tante qui ont la charité et le devoir (cruel mélange) de s'occuper de moi pendant ta convalescence.

« Tu ne fatigues pas trop ton oncle et ta tante. »

« Tu travailles bien à l'école pour qu'ils soient contents de toi et que je sois fière de toi. »

Oui, mais tes bras, ton odeur, ta chaleur, toi, où es-tu ? Je veux un câlin !

« Tu es malade, ma fille, soigne-toi bien pour ne pas causer trop de tracas à ta tante ! »

« Je t'embrasse bien fort ma petite fille, maman. »

Je cherche avidement entre tes lignes, des mots d'amour. Est-ce que tu m'aimes encore ? Puis, je fixe longuement ce mot que tu signes : « maman ». J'ai ainsi l'impression d'être la fille d'une maman authentique. Je caresse du bout de mon index les caractères apposés par ta main : tu as effleuré cette feuille blanche que je tiens maintenant dans mes pognes. Je ne tardais jamais à te répondre et ma lettre enfantine, je l'agrémentais de petites décorations florales. J'avais la douce émotion d'être encore en lien avec toi. Au fond de ton lit, à souffrir, tu trouvais toujours l'énergie pour m'écrire, sauf pour répondre à ma dernière correspondance. Tu t'es éteinte dans ton sommeil et ma lettre a attendu sur la table de nuit ce réveil qui n'a jamais éclos.

C'est tout ce qui me reste de toi et moi : tes lettres ! Ce sont tes mots, ta calligraphie soignée et ton paraphe « maman » qui ont fait de ces feuillets imbibés de mots adressés rien qu'à moi, des pages sacralisées.

Je me cache pour te lire afin de ne pas entendre la sempiternelle recommandation de ma tante : « Arrête de penser à ta mère, tu te fais du mal. » *Maman*, je suis triste chez tonton et tata.

Ils me gavent de « bouffe ». Ils m'habillent comme une petite fille des années trente. Les mots sont censurés. Les expressions affectives sont exclues. Et pourtant, je suis très gâtée. Je reçois une multitude de cadeaux pour les fêtes. Je croule sous les présents à Noël et pour mon anniversaire. Ils me font participer à des excursions éducatives. Je m'y ennuie la plupart du temps. Je ne m'intéresse à rien. Mes travaux d'école sont étroitement surveillés. Je suis assistée dans mes devoirs par une tata exigeante et intransigeante. La plupart du temps, j'ai peur de me tromper et de recevoir une flopée de reproches ou une envolée de claques. Je fais le lourd constat que je ne serai jamais à la hauteur de ses attentes et que je resterai une piètre élève…

Le soir, avant de me coucher, tata m'oblige à m'agenouiller sur un prie-Dieu. Sous son regard glacé, je dois inventorier mes fautes. Mes genoux me font souffrir et je n'ai rien à dire. De quels péchés dois-je me confesser ? Auprès de qui dois-je expier ? Auprès de toi, *maman* ?

Alors que tu es soi-disant perchée sur tes nuages, je prends conscience que tu peux peut-être me voir ! *Maman*, même si je t'aime à la folie, j'ai besoin d'intimité. Je ne veux pas tout te raconter. Je commence à avoir mes petits secrets, comprends-tu ? Tu me déranges là : je n'aime pas te savoir en train de m'observer.

Pour les activités extrascolaires, je vais au catéchisme et je pratique la danse moderne. Dans la demeure de mon oncle et ma tante, la morale religieuse impose chaque jour ses sermons. J'ai déjà l'esprit rebelle et je ne veux pas me calquer à tous ces préceptes. La plupart du temps, je les ignore. Tu sais, *maman*, tata, m'apprend que la vie est remplie de devoirs avec très peu d'amusements. Je ne peux pas déroger à la règle magistrale de : « Fais tes devoirs et s'il te reste du temps, tu pourras t'amuser. » Je me sens coupable de me faire du bien. Pour tata, le plaisir est un péché. En revanche, travailler dur, se donner du mal, c'est glorifiant, et Dieu aime tant le dévouement.

Une des phrases préférées de tata est : « Je me suis sacrifiée toute ma vie pour toi ! » En l'occurrence, son : « Toi », c'est moi. Dès lors, la culpabilité exercera violemment son emprise et elle me collera comme une seconde peau tout au long de ma vie future. Mes envies se transforment en carcinome dont il faut éviter la propagation. Je suis chez eux sans plaisir ni joie en attendant une délivrance pour un retour aux sources.

Je vis hors du temps.

Je veux rentrer à la maison, *maman.*

Mon frère me manque, terriblement. C'est mon meilleur copain. C'était celui avec qui je jouais aux cow-boys et aux

Indiens. Nos combats, nos chamailleries transformaient nos parties en joutes endiablées. Lors de la lutte finale, nos rires finissaient toujours par éclater. Nos escarmouches se poursuivaient à table où le silence régnait. En effet, notre père nous interdisait de communiquer pendant les repas et nous n'avions droit à la parole que si nous la demandions. On ouvrait rarement la bouche tant nous craignions sa réaction face à nos apartés. Soit il trouvait notre dialogue pauvre et inintéressant, soit nous étions repris pour une faute de français sur notre langage enfantin. Dans tous les cas, nos propos étaient étouffés par un mépris manifeste. Nous baissions la tête, mortifiés.

Mon frère et moi, nous jouions de ce silence imposé. Nous poursuivions, alors, le « jeu » par des regards appuyés et des gestes de la main. Avec multiples mimiques, nous prolongions notre guerre entre cow-boys et Indiens. C'était une maigre victoire, mais nous grugions l'homme qui nous faisait le plus peur : notre père !

Mon frère et moi étions devenus comme les deux doigts d'une main. Notre ennemi commun, c'était notre père. Tant nous le craignions, nous ne pouvions pas souvent le tromper. En fin de semaine, nous devions démontrer l'état de propreté de notre serviette de table. Chacun des trois enfants affichait sa serviette sous l'œil intraitable du « père ». Celle ou celui qui la présentait sans une once de tâche gagnait 20 centimes. La mienne était toujours constellée de gras, de taches jaunâtres et je recevais systématiquement le regard dédaigneux de mon père. Non seulement je ne méritais pas la pièce, mais j'endossais en plus la honte de ne pas savoir essuyer ma bouche sans tacher ma serviette de table. Je n'ai jamais reçu de pièce.

Cela fait déjà deux années que je ne vois plus mon compagnon de jeu, Éric, ton fils, *maman*.

Je pleure souvent son absence.

Je veux retrouver ma famille.

Je veux recouvrer un peu de toi, *maman*, dans les autres et dans leurs souvenirs.

Je veux partager avec eux mon chagrin et dialoguer sans fin sur toi.

Je veux pouvoir parler sans réserve et que tu ne sois plus un sujet tabou.

Je veux quitter cet endroit aseptisé, ordonné et sans chaleur.

## Sans toi

J'ai neuf ans. Je rentre enfin chez moi !

Je suis dans la voiture, je roule vers vous : mon frère ; ma sœur. Qu'il me tarde !

Deux années que je ne vous ai pas vus. C'est long, très long dans ma tête d'enfant : une éternité… Je veux vous entendre, vous sentir, vous regarder sous toutes les coutures et surtout me plonger dans vos bras. Enfin, je veux goûter à nouveau à notre complicité et laisser éclater nos fous rires.

Accompagnée par tata et tonton, nous parcourons huit cents kilomètres pour vous retrouver. J'ai le sourire aux lèvres. Je suis mêlée d'appréhension et de joie. Mon cœur s'emballe.

La voiture, enfin, stoppe sa course sur l'asphalte devant un portail noir. Je ne reconnais rien. Ce n'est pas chez moi.

C'est ailleurs. Un sentier monte à une immense maison que je ne connais pas.

Où suis-je ?

Je reçois de vagues explications dont je ne saisis pas le sens.

J'ai tellement pris l'habitude d'écouter un mot sur deux de tata que je ne retiens pas tout.

Enfin, je distingue ma sœur et mon frère à travers une forêt de verdures qui longe le chemin. Vous êtes là ! Un portillon nous sépare. Pourquoi ne bougez-vous pas ? Je veux me précipiter vers vous, mais je suis retenue par une main ferme.

Mon père est là, campé sur ses deux pieds. Il n'avance pas vers moi. Je n'y comprends rien. Mon allégresse sombre sous cette ambiance glaciale qui plane au-dessus de nos têtes.

Séparés par ce portail, les adultes échangent quelques mots. Je ne les écoute pas tant je suis obnubilée par ma fratrie qui reste statique. Ils affichent un sourire ironique et me regardent de haut. Pourquoi ? Je suis toute chamboulée. Des larmes amorcent leur course. Ne voulant pas pleurer devant eux, je refoule mes sanglots. Qu'ai-je fait pour mériter cet accueil ? Puis on me pousse vers le portillon noir qui s'entrouvre pour me laisser passer. Mon oncle et ma tante ne sont pas conviés à pénétrer dans la demeure. Je suis partagée entre l'envie de reculer face à ces visages peu affables et le désir de rompre cette hostilité qui me détruit le cœur. Tant pis, j'ose et je cours vers eux ! Je veux les embrasser, les toucher et voir dans le fond de leurs yeux la joie de me retrouver. Mais ce sont des bras mous qui m'enlacent et un vague baiser qui laisse une trace amère sur ma joue. Mon frère, toi, mon copain, je ne te reconnais plus. Tu as grandi, ton visage n'est plus enfantin et ton attitude défiante me glace des pieds à la tête. L'accueil de mon père est, lui aussi, sans chaleur. C'est à peine s'il dépose ses fines lèvres sur ma tête. Mais qu'est-ce que j'ai fait ?

J'apprendrai plus tard qu'on a fait naître la jalousie dans la tête de ma fratrie. Pendant qu'eux vivaient avec une maman à l'agonie, moi, je me la coulais douce sur la Côte d'Azur en compagnie de tonton et tata. Mon frère et ma sœur enviaient ma position de privilégiée pendant que moi, je les pleurais. C'en est pathétique !

Sans transition, je suis propulsée vers cette grande maison. Je pénètre dans le vestibule où trois inconnus patientent. Qui sont-ils ? J'entends que mon père s'est remarié avec une femme et que cette dernière a deux enfants. Tu vois, *maman*, papa n'a pas traîné. Un an après ton décès, il épouse une autre femme. Je me sens trahie pour toi. Immédiatement, je déteste cette personne : Marie-Louise. Je n'aimerai pas plus ces adolescents. Je deviens la petite dernière d'une fratrie de cinq enfants. C'est ma nouvelle famille. Je suis décontenancée et perdue au milieu de ces étrangers. Mon frère et moi partageons chacun une chambre avec un des enfants de notre nouvelle belle-mère. On nous mélange comme une salade grecque !

On a complètement changé le décor de mes souvenirs d'enfance avec toi, *maman*. Je ne vivrai plus jamais dans notre grande demeure bordelaise. Je me dispute souvent avec la fille de Marie-Louise, ma colocataire de chambre. À chaque fois, je perds les rounds. Mais le plus triste est d'être dépossédée de la connivence qui me liait à mon frère. Je suis complètement démunie sans mon compagnon de jeu. Dorénavant, il partage son temps avec cet adolescent, Marc. Je suis jalouse, terriblement jalouse !

L'aventure avec ce nouveau petit monde dure deux années. Personne ne se préoccupe de moi. Je passe de tata que j'avais constamment sur le dos à une indifférence totale. Je ne me sens pas à ma place au milieu de ces préados et adolescents. Je ne partage rien avec eux. Je n'ai pas plus de regards de la part des adultes. Ce désintérêt me fait renoncer à moi : je me persuade, alors, que je ne suis pas attachante. Scolairement, je rate brillamment ma sixième et redouble mon année. J'échoue sur tout !

Pour les fêtes, nous ne recevons rien, moi qui étais si gâtée. La magie de Noël se meurt... Plus jamais mes prunelles ne s'écarquilleront devant le déballage de mes présents. Plus de papier cadeau déchiré autour de moi. Désormais, je détesterai cette fête. Fini Noël !

La joie et le rire dans cette nouvelle demeure sont inexistants. Nous nous croisons sans nous toucher. Nous nous parlons à peine. Nous nous disputons pour les tours de vaisselle. Et puis c'est tout.

Mon refuge, pour retrouver un sentiment d'appartenance, est un magnifique pin. Il me faut un copain ! Chaque jour, je grimpe mon arbre et j'observe de son point culminant cette vie à laquelle je n'appartiens pas. Je passe, aussi, beaucoup de temps à y lire. À travers mes romans, j'oublie qu'ici, c'est le vide affectif. Si toutefois on me cherche, mon père sait où je suis. Il a trouvé ma cachette et me laisse à mon arbre. Il apprécie l'idée... Enfin, je crois. Il n'est pas démonstratif dans ses sentiments.

Voilà, *maman*, ces deux années-là, je me perds encore plus à te chercher. Papa ne te remplace en rien, il se moque bien de ce que je vis, il est tout à son travail. Ma belle-mère fait son possible pour rendre harmonieuse cette nouvelle famille, mais elle essuie un cuisant échec qui signe la rupture de cette rocambolesque famille : mon père la quitte ! J'ai onze ans et je suis déjà lasse d'emballer mes petites affaires dans des cartons. Tout ce que je veux emporter avec moi, c'est mon nounours bleu, seul lien avec toi, *maman*. Le reste n'est attribué qu'à une vie dont je ne souhaite plus être l'actrice. Nous changeons de maison, de ville et nous découvrons un nouvel environnement. Cette fois-ci, mon père s'est acoquiné avec une dénommée Annie. Elle est là avec son enfant unique : une petite fille plus jeune que moi. Là aussi, la maison est immense : on se perd à errer sur trois étages. Quand mon frère, ma sœur et moi y sommes seuls sans les parents, nous avons terriblement peur. Notre imaginaire débordant fait de cette habitation une demeure à horreurs. Ma nouvelle belle-mère n'est pas impliquée et nous, les trois enfants, nous sommes totalement négligés. Seule compte sa fille ! C'est ainsi qu'elle la conduit à l'école à l'heure et qu'elle nous traîne dans nos établissements respectifs avec beaucoup de mauvaise volonté et en retard ! Une de ses phrases m'a particulièrement marquée. Un jour, elle nous a hurlé dessus : « Pourvu que ma fille arrive à l'heure, les autres, je m'en moque ! »

Cette péripétie amoureuse entre mon père et cette femme dure quelques mois, puis ils se séparent dans une grande hostilité. Leurs ressentiments coulent sur nos frêles épaules d'enfants. Je suis encrassée par leurs échanges fielleux. À tour de rôle, ils nous rendent complices de leurs maux.

Qu'allons-nous devenir, *maman* ? Quel va être le dessein suivant pour garder cette marmaille qui est un poids pour notre père ? Ma sœur, Margot, est majeure : elle part voler de ses propres ailes dans l'univers des adultes. Mon frère et moi, nous passons l'été chez l'oncle et la tante. Pour son travail, mon père parcourt les routes de France. Il lui est impossible de nous garder la semaine. Sans femme, mon père n'est même pas capable de se faire cuire un œuf, alors nous élever demeure de l'utopie !

Depuis mes retrouvailles avec mon frère, Éric et moi passons notre temps à nous disputer. Ainsi, en vacances chez notre oncle et tante, nous nous injurions et nous nous frappons mutuellement avec force. Que nous arrive-t-il ? Il semble que notre extraordinaire entente se soit transformée en querelles quotidiennes. Nos cris et nos bagarres agacent les adultes. Ensemble, nous ne savons plus nous comporter sans colère.

Vois-tu, *maman*, lorsque tu vivais ta dernière année, j'étais éloignée de toi, mais je perdais également un frère.

Cela spécule chez les adultes !

Tes deux enfants sont égarés. Ils ne savent plus de quoi demain sera fait. Papa souhaite nous abandonner à qui voudra bien s'occuper de nous. Ainsi, il pourra partir travailler aux États-Unis. Tata, avec fermeté, lui rappelle son devoir de père. Personne ne semble vouloir nous prendre en charge. Nous commençons à percevoir que nous ne sommes pas assez méritants pour que l'on s'occupe de nous. Mon frère et moi avons treize et douze ans et nous sommes éprouvés par ces changements de vie radicaux. Face à cette adversité, nous resserrons enfin nos liens et nous nous retrouvons complices dans cette sordide fable. Nous nous promettons de multiplier les efforts dans nos attitudes afin de déposer, enfin, nos valises dans un lieu que notre père choisira. Peu importe quelle femme l'accompagnera et ce qu'il nous offrira, nous sommes prêts à mettre nos colères en sourdine pour maintenir un peu de paix dans nos esprits et qui sait, être un peu aimé…

C'est assuré *maman*, nous allons vers une grande désillusion.

Nos efforts seront vains. Notre déception sera immense !

## Pupilles de l'État

Dès la naissance de leurs enfants, les parents se voient conférer « l'autorité parentale », qui s'accompagne d'une foule de droits et, surtout, de responsabilités envers ces petits êtres.

Notre père renonce volontairement à ses droits parentaux. Tu te rends compte, *maman*, de cette ignominie ?

Après le décès de sa première épouse, toi, ma maman, sa priorité a été de recouvrer sa liberté de jeune homme. *Maman*, lors de ta longue agonie, tu as plusieurs fois tenu ces propos : « Les enfants ont un père. Ils ne pouvaient donc pas devenir orphelins. » Tu t'es bien leurrée sur ses intentions. Nous avons un père : oui. Un papa : non !

Dans le langage juridique, on parle de la déchéance de l'autorité parentale. C'est une mesure grave et radicale qui retire à un parent son statut de : « titulaire de l'autorité parentale ». En résumé, il n'a plus son mot à dire quant aux décisions concernant son enfant, que ce soit en matière d'éducation ou de santé ni sur son lieu de résidence. Dorénavant, cette autorité sur Éric et moi est conférée à l'État. Âgés de treize et douze ans, nous devenons pupilles de l'État. Sur notre pièce d'identité, l'adresse inscrite est celle du grand commissariat de Bordeaux. Nous sommes devenus enfants de la DDASS (ASE). Notre identité et notre statut familial sont modifiés. Nous ne saisissons rien à ce changement, nous le subissons. Pour l'heure, ce qui nous intéresse, c'est de rencontrer les personnes qui vont nous accueillir et nous éduquer. Cependant, cette famille inconnue vers laquelle nous nous dirigeons amène son cortège d'inquiétudes : nous avons peur.

Un jour, tata, pendue à son téléphone noir, m'interpelle. Avec promptitude, elle me passe le combiné et dans un souffle, elle me lâche qu'à l'autre bout du fil, c'est la gardienne qui va s'occuper de nous. Timidement, je prends le téléphone et j'attends. Une voix douce enchaîne des mots rassurants et engageants sur notre venue chez elle. J'écoute à peine, je n'y crois déjà plus. Cela fait trop longtemps que les promesses des adultes se sont mutées en mensonges. À peine polie, je clôture cette conversation par un « au revoir » gêné. Je ne la connais pas et je n'ai rien à lui dire. Très embarrassée, je raccroche. Suite à mon hésitation, tata hurle sur moi : « Tu es impolie, tu aurais pu la remercier. Vous avez de la chance que quelqu'un veuille bien vous prendre ! »

Quel immonde paquet d'enfants sommes-nous, mon frère et moi ? Qu'avons-nous fait pour être si peu désirés ?

C'est la fin de l'été, les vacances scolaires se terminent. Nous partons à Bordeaux à la rencontre de notre famille d'accueil. Tata et tonton nous déposent à la gare de Grasse. Nous traînons nos bagages comme nous traînons nos petites vies décousues. Tout est dépareillé ! Dans le train, Éric et moi sommes très angoissés. Nous parlons peu. Le moment n'est pas propice à se taquiner ou à rire. Chacun est perdu dans ses pensées. Nous engloutissons nos sandwichs et nous tentons quelques accroches pour engager un sourire chez l'autre. Mais l'amusement est ténu : il s'épuise avec l'anxiété qui monte au fil du temps. Le trajet en train dure une dizaine d'heures, la gare de Bordeaux approche, l'inquiétude s'intensifie. Nous n'osons plus nous regarder. Des larmes viennent saler nos paupières, mais ni l'un ni l'autre ne veut affoler, par ses craintes, son partenaire d'infortune. Nous prenons une profonde inspiration pour desserrer quelques mots sur l'aventure qui nous attend. Nous discutons de l'homme qui doit venir nous accueillir à la gare. Notre imagination fertile nous amène à galéjer sur cet inconnu. À plaquer sur lui des idées ignobles, nous nous donnons des frissons. « Et si c'était un… ? » ; « Et si personne ne venait ? »

« Tu crois que l'on va le reconnaître, souffle Éric dans un soupir ?

— Tata a dit qu'il est grand et barbu.

— Comment s'appelle-t-il déjà ?

— Arnaud.

— La gare est immense, et si on ne le trouve pas ?

— On est perdus !

— J'ai peur.

— Moi aussi… »

Le train arrive à quai. Nous sommes encombrés par notre barda et c'est avec beaucoup de maladresses que nous arrivons à descendre du wagon. Le quai est pratiquement désert. Aucun homme grand et barbu en vue. Une profonde appréhension à me retrouver seule avec mon frère dans cette gare inhospitalière m'envahit. Embarrassés par les valises, nous commençons avec difficultés à arpenter le quai. Je propose à mon frère de nous asseoir sur un banc et d'attendre. Nous sommes collés l'un à l'autre : la chaleur respective de nos corps nous rassure. Nous ne pouvons compter que sur nous. Nous ne bougeons plus et espérons figer le temps afin qu'aucun désagrément ne nous arrive : nous sommes effrayés. Nous sommes bien trop jeunes pour une prise d'initiative. Si nos corps pouvaient être absorbés par le banc en fer, nous en serions profondément soulagés. L'élan du manège à paniques s'arrêterait enfin.

Soudain, un jeune homme d'une trentaine d'années porte son regard sur nous. Avec nonchalance, il s'approche de nous. J'ai un mouvement de recul. On nous a toujours appris à nous méfier des inconnus. D'une voix grave et agréable, il nous demande si nous sommes bien Éric et Fabiola ? Un petit « oui » étouffé sort de nos bouches. Il se présente : « Je suis Arnaud et nous allons nous occuper de vous deux, venez ! » Il empoigne plusieurs de nos bagages et, tête basse, nous le suivons. Que faire d'autre ?

*Maman*, je te présente la famille d'accueil qui va prendre en charge tes enfants bannis par leur père.

La compagne d'Arnaud s'appelle comme toi : Mireille. Une coïncidence. Je n'en ferai pas cas puisque je ne t'ai jamais interpellée par ton prénom. Pour moi, tu es « maman » !

Ils ont deux enfants de quatre et deux ans. Ils sont adorables tous les deux. Je tombe littéralement sous le charme de ces marmots. J'apprécie beaucoup Mireille. Elle me parle comme à une grande et elle n'a de cesse de me rassurer pour que je me sente bien avec eux. Arnaud est d'une extrême gentillesse. Tout va pour le mieux. Au fil des mois, je me détends. Leur affection envers moi finit par briser toutes mes protections contre un amour qui tourne toujours mal.

J'ai une totale confiance en eux. Je les aime…

Tata prend régulièrement de nos nouvelles. Un jour, elle me téléphone pour me sermonner durement. Contrite, je pleure de ne pas avoir encore su la satisfaire : mes résultats scolaires demeurent faibles. Cela n'échappe pas à ma famille d'accueil qui s'interpose. Arnaud se fâche fort avec elle et Mireille me propose le soir de venir dans leur lit pour se câliner. Je n'attendais que cela. J'aime la tendresse et les manifestations affectueuses. Je me glisse au milieu de leur chaleur à eux deux. Arnaud lit. De son côté, Mireille sort de sa table de nuit une petite boîte qu'elle me tend. À l'intérieur, il y a une belle bague argent surmontée d'une jolie pierre bleue. C'est pour mon anniversaire, mais trouvant le moment plus propice, elle me l'offre maintenant. Elle souhaite que je reçoive un gage d'amour. En cet instant, je suis ravie et excitée par cette affection qu'on me porte. Je ne souhaite plus quitter la chaleur de leur lit : j'ouvre à nouveau mon cœur blessé.

Pendant deux ans, je vis sur un petit nuage. J'ai une famille avec laquelle je me sens à l'aise. Leur façon de vivre des années soixante-huitardes me rafraîchit. Je ne suis plus dans la psychorigidité de ma famille de sang. C'est l'été et nous passons des vacances dans une maison de campagne. J'ai le droit d'amener ma copine Valérie. Mireille n'est pas là. Je ne m'attarde pas sur son absence tant je suis tout à mon plaisir d'être à la campagne avec mon amie. Pendant le séjour, Arnaud souhaite me parler en tête-à-tête. Je sens un piège… Je me retrouve, seule, face à lui : je ne suis pas à l'aise du tout. Les mots d'Arnaud ont du mal à sortir et son triste visage m'inspire l'annonce d'une mauvaise nouvelle. C'est alors qu'il exprime : « Mireille et moi, nous allons nous séparer. »

Je suis anéantie. Je comprends très vite que ma situation va prendre à nouveau une tournure précaire. Les yeux embués, je lui demande : « Qu'allons-nous devenir ? » Il répond : « Je ne sais pas. »

L'affection de ma famille d'accueil me rend heureuse. De mon côté, je donne toute la tendresse que j'ai dans mon cœur. Je crois fermement à cet échange émotionnel et je suis très attachée aux petits.

Mais ces adultes vont briser la fragile confiance que j'avais mise en eux. De nouveau, je suis abandonnée et j'endure qu'il m'est impossible de recevoir de l'amour : je ne suis définitivement pas un être aimable.

Voilà, *maman*, c'est la fin d'une belle histoire qui aura duré deux ans et qui se terminera dans le chaos !

*Maman*, les abandons s'accumulent ; je perds une grande alliée : ta maman.

C'est Mamie qui sent bon, Mamie qui câline, Mamie qui comprend tout. Nos rencontres sont essentiellement estivales. À quatre-vingts ans, elle exhale son dernier soupir. Je suis au collège et je me sens perdue sans son affection. D'autant qu'elle avait un réel plaisir à te raconter et moi je l'écoutais palabrer sur toi… Je crois que ta mère te vouait une grande admiration pour la capacité à supporter avec placidité les humeurs chaotiques de mon père et les frasques de tes trois enfants.

Un an après ton cruel départ, mamie m'a constitué un album photo de toi, bébé, jusqu'à ta quarantaine à peine effleurée. Il sera un nombre incalculable de fois ouvert. Chaque cliché sera mangé par mon regard et taché par les caresses de mes doigts. Je me noierai dans tes sourires figés et dans tes postures attrapées par le photographe : je serai bien. Mais lorsque je refermerai l'album, une profonde tristesse m'envahira et je te perdrai à nouveau.

J'ai quinze ans, je n'ai plus de famille. Qui va s'occuper de nous, *maman* ?

Heureusement, depuis mes dix ans, ma grande amie Valérie me soutient dans les péripéties de ma vie. C'est avec elle que je passe le plus clair de mon temps. À chaque rencontre, nous refaisons le monde. Il est beau notre univers. Il est fait de gentils. Il est recouvert par une envolée de fleurs de toutes les couleurs.

Tout sent bon ; tout est frais. Nous nous projetons dans une communauté d'adultes qui ne ressemble en rien à celle que nous connaissons.

On rêve, on fabule, mais pas sans aide. Nous découvrons l'alcool ! C'est à coups de bière que nous mettons à mal notre corps pour taire nos souffrances du moment. Ainsi, elles sont oubliées le temps d'une bonne cuite.

Valérie est une amie fragile, complexe et torturée par un mal-être insondable. Nous formons la paire toutes les deux !

Désolée, *maman*, d'avoir commencé à boire si jeune ! Chaque fois que je bois et que je ne supporte plus l'alcool ingurgité, je me mets à hurler des « maman » à n'en plus finir. C'est inévitable et dans cet état d'ébriété, il n'y a plus que toi qui comptes. Même six ans après ta disparition, ce lien quelque peu sinistre entre toi et moi ne se desserre pas.

Parallèlement, je continue à traîner mon échec scolaire depuis la sixième. Je ne suis donc pas autorisée à poursuivre en seconde générale et je bifurque vers la voie professionnelle. J'embraye sur un brevet d'études professionnel pour apprendre à soigner des malades et répondre à des problématiques de cas sociaux.

Peu m'importe le lycée : étudier ce n'est plus pour moi !

Notre famille d'accueil s'est disloquée. Éric et moi sommes de nouveau affolés face à l'avenir, mais notre père ressurgit dans notre vie. De nouveau marié, il est en compagnie d'une femme prénommée Michèle. Cette dernière n'aura de cesse de vouloir nous réunir tous sous son toit. Elle argue que c'est à notre père de nous prendre en charge. Je ne l'entends pas et je piétine sa bonne volonté. Je veux être totalement dégagée de ces vaines manifestations affectueuses. Je refuse, donc, de vivre avec mon père. J'invoque mon exaspération à changer si souvent de famille. Je souhaite être dans un ailleurs : un lieu où on ne me fera plus croire à la tendresse épisodique. Je suis très perturbée. J'ai seize ans.

L'assistante sociale écoute avec beaucoup d'attention ma requête et elle me propose d'aller vivre dans un foyer de jeunes filles. Quant à mon frère, il accepte de rejoindre ce nouveau cocon familial : mon père et sa nouvelle épouse. Ce dernier reprend ses droits parentaux sur Éric. Par contre, il demeure privé des siens sur moi. C'est très bien ainsi, hein, *maman* ?

Voilà, je pars vivre dans un foyer pour jeunes filles ! C'est un ancien couvent qui accueille des filles de bonne famille et recueille quelques âmes perdues venant de la D.D.A.S.S. Nous sommes cinq jeunes filles de « rien » sur un total d'une cinquantaine de pensionnaires. Bien évidemment, je ne côtoie pas les riches : elles sont beaucoup plus âgées et vivent dans un autre monde que le mien. Nous sommes seulement deux à être mineures : je suis la puînée du foyer. Les bonnes sœurs de cette institution sont correctes, mais distantes : elles n'ont aucun élan affectueux.

Je me lie avec l'autre jeune fille mineure qui me vole et enchaîne de fourbes histoires avec moi. Pour exemple, elle me fait côtoyer des Gitans peu délicats qui n'ont de cesse de vouloir attenter à ma vertu. C'est ainsi que je suis jetée à terre et battue par un jeune homme pour avoir refusé ses avances.

*Maman*, j'étais terrifiée ! Quand je suis rentrée au foyer, j'aurais tant aimé que tu panses mes plaies. Avec toi, dans ma vie, cela ne serait jamais arrivé ! Depuis cet incident, je passe les années qui suivent à avoir la trouille au ventre lorsque je dois traverser une ville de nuit.

Je suis en âge d'être amoureuse et je ne le suis pas…

Je ne vois personne en dehors des copines du foyer et l'ennui est mortel dans cet ancien couvent. J'ai la douloureuse impression que je mènerai pour toujours une vie esseulée. J'ai une jolie chambre pour moi toute seule avec des espaces communs comme les toilettes et la douche. Je vis très mal les repas. Mon plateau en main, je reçois les sourires ironiques de mes congénères fortunées qui se moquent de ma situation de fille de la D.D.A.S.S. Quelques remarques fusent et à plusieurs reprises, j'ai cru que j'allais en frapper une. Pour éviter une carambole, je saute des repas ou j'attends la fin du service pour me précipiter dans le réfectoire.

Depuis que je suis au foyer à Talence, je vois mon amie Valérie par intermittence. Je ne suis plus très à mon aise avec elle. En effet, ma grande amie dégringole dans l'automutilation et elle se shoote à l'éther. Sur ce coup-là, je ne la suis pas. Géographiquement, nos lieux de vie sont éloignés. De ce fait, je plonge moins souvent dans ses tourments. Je prends du recul. Je supporte mal ses poignets mutilés par le souffre d'une allumette avec laquelle elle écorche sa peau jusqu'au sang pour dessiner des idéogrammes. Par amitié et sur sa demande, j'ai tenté de me scarifier le poignet, mais la douleur a interrompu les prémices d'une entaille.

Du haut de mes quinze ans, je regarde la destruction physique et mentale de mon amie. Je ne fais rien ; je n'y comprends rien... Dans un de ses courriers, elle m'invite à sniffer de l'éther pour m'évader vers des contrées plus sereines. Sans ambages, je refuse ! J'ai peur des drogues. Autrefois sans discussion préalable, nous faisions tout ensemble. Maintenant, je ne réponds plus à ses requêtes : sa noirceur me déstabilise. Je vais la laisser périr...

C'est un jeudi, je suis au foyer, dans ma chambre. Je suis interpellée par une bonne sœur. Quelqu'un m'attend au téléphone. C'est Muriel, la sœur de Valérie.

Son silence au bout du fil est oppressant, elle ne dit rien.

« Muriel, dis-moi, qu'est-ce qu'il y a ?

— C'est Valérie…

— Quoi ? Valérie ? hurlé-je.

— Elle s'est suicidée.

— Elle est à l'hôpital ?

— Non, elle est morte !

— …

— Veux-tu venir ? Je viens te chercher, si tu veux.

— Oui. »

Je referme doucement la porte de la cabine téléphonique. Je monte les escaliers en marbre du foyer jusqu'à ma chambre. Je m'écroule sans larmes sur mon lit. Je me sens tellement honteuse de n'avoir pas pris en compte tous ces signaux : l'alcool, la drogue, l'automutilation et ses discours noirs. J'ai seize ans et je ne suis pas foutue d'aider mon amie. Je l'ai laissée « tomber ». Je ne mérite plus de vivre. Je veux la rejoindre. J'accroche à mon lit l'extrémité d'un tendeur et j'enroule mon cou avec l'autre bout. Je tire jusqu'à la tension maximum, mais l'accroche du tendeur me rentre dans la peau du cou. Cette douleur si minime m'empêche d'aller jusqu'au bout : je n'ai pas envie de mourir, là… Maintenant, ma gorge est cerclée de rouge. Je mets un foulard autour de mon cou et j'attends Muriel.

Arrivée près de Valérie, je ne sais pas quoi dire tant je suis absorbée par son corps inerte. Sur le lit, où elle repose, je m'assois près d'elle. Je caresse son visage glacé. Je retire mon collier, puis je dégage l'écharpe qui couvre son cou : j'ai un mouvement de recul. Sa peau est cerclée d'une épaisse strie nuancée de bleu et de marron. C'est la lanière en cuir avec laquelle elle s'est pendue qui a massacré sa gorge gracile de quinze ans. Sa tête bien trop pesante pour être soulevée, je ne peux pas fermer le bijou. Avec consternation, j'intègre combien elle est lourde. Je demeure choquée et je ne peux plus quitter son corps : je reste des heures entières auprès d'elle.

Un message en anglais laissé là… : « It is no longer possible to live, now. »

Valérie s'est pendue à la poignée de la porte de la chambre de sa sœur.

Valérie avait ses secrets.

Valérie avait ses souffrances.

Valérie ressentait en elle que vivre était monstrueux !

Pourquoi ne l'ai-je pas comprise ?

Pourquoi l'ai-je abandonnée ?

Tout pousse en moi, mes jambes, mes seins et mes boutons d'acné. J'accueille de manière anarchique ces perturbations hormonales, alors comment les faire cohabiter avec une mort pareille ?

Ce suicide jette un voile noir sur le peu d'innocence qui me reste. Ce déni de la mort étouffe ma joie de vivre, celle qui me permettait encore de me relever après un coup bas. À cet instant, le choix de mourir de Valérie entache violemment mon désir de croquer la vie ! C'est alors que je me perds dans un dédale de pensées contradictoires. Elles s'engouffrent avec violence dans mon cerveau : je suis saturée !

Dis, *maman*, toi, tu aurais trouvé des réponses à mes interrogations ?

Si tu étais restée muette, tes bras autour de moi auraient suffi. Je me serais noyée dans ton odeur pour oublier celle du cadavre de Valérie.

# Émancipation

J'ai dix-sept ans, *maman*, je suis une jeune fille, maintenant.

Poussé par sa nouvelle femme, mon père cherche à recouvrer ses droits parentaux sur sa fille cadette. Il m'appâte en m'offrant une vie de jeune fille autonome : je vais avoir un toit pour moi toute seule ! J'accueille cette proposition avec joie. Je vais habiter un appartement en totale indépendance. Je ferai ainsi ce que je veux, quand je veux. De plus, je suis affranchie d'une quelconque autorité. J'obtiens le statut de jeune fille émancipée. Waouh !

Le studio est mignon. Surexcitée par ce nouvel environnement, j'aménage mon espace de huit mètres carrés de bric et de broc. Je n'ai pas grand-chose, mais qu'importe, je me laisse gagner par cette liberté qui me tend les bras. Plus de contraintes, plus de comptes à rendre. C'est avec beaucoup de bonheur que je m'installe. Le soir, en rentrant du lycée, je travaille avec ardeur mes cours. Je n'ai plus que cela à faire et personne n'est là pour me distraire de mon apprentissage. Cependant, les soirées et les week-ends sont longs et je suis engourdie par l'ennui. Je n'ai pas la télévision. Je n'ai pas, non plus, d'amis qui partagent la même vie que moi : ils sont tous au chaud chez leurs parents. Pour ma part, je crève de froid dans ma solitude. Je rumine cet isolement tant et tant que mon âme s'effrite. Je pleure souvent de dépit de n'avoir seulement moi pour compagnie. Par manque de connexion sociale, cet exil chronique m'éprouve durement. Livrée à moi-même, je n'ai pas de réponse à mes questionnements. Lors de mes frugaux dîners, je mangeotte, seule, sur le bord de mon lit en souffrant de ne pas avoir un convive avec qui partager mes repas.

*Maman*, mes rêves ont été tués dans l'œuf : je n'ai pas eu vraiment le temps de fantasmer sur une vie de jeune femme. Je m'insère dans le monde des adultes comme on pénètre dans une pièce étouffante. J'ouvre brusquement la porte sur mes aînés, je les observe et je recule d'un pas : ils me désolent tous. De repères foireux, ils deviennent mes pairs : je ne leur obéis plus, je les fréquente ! Cette nouvelle promiscuité avec eux me déstabilise : je désire fuir leur manque d'ingénuité et leur psychorigidité. Je demande à retourner dans l'univers des jeunes pour flirter avec insouciance. Immergée sous les contraintes, ma fraîche candeur se dissipe derrière un épais nuage ennuyeux. Je vieillis avant l'âge… Je porte en moi une vie psychique âgée de trente ans.

Tout de même, j'ai mon fidèle petit nounours bleu, mon compagnon de toujours. Cette peluche, c'est mon objet transitionnel. Il me suit partout, et ce, depuis ma petite enfance.

À cinquante-trois piges, *maman*, je me vois encore l'examiner sous toutes les coutures et le renifler pour déterrer une odeur rassurante : la tienne ! C'est ridicule, il n'exhale plus que la poussière. Plus jeune, j'ai dormi des nuits et des nuits avec lui. Je lui ai brûlé les moustaches, tachant ainsi sa douce pelure. Je l'ai, aussi, secoué avec violence et sa tête s'est déchirée. Je l'ai recousu avec du fil rose. Je l'ai bercé et j'ai caressé longuement son petit ventre rond. Depuis, il a quitté mon lit pour y retourner au besoin. Il est toujours là, posté sur ma table de nuit : il est à ma disposition. Il ne me quitte jamais : sa présence me tranquillise.

*Maman*, un petit filet de toi perdure dans ce nounours bleu…

Pour subvenir à mes besoins, mon père me donne peu d'argent. De fait, je n'arrive pas à me nourrir correctement et je mange essentiellement du riz avec de la sauce tomate. Je n'ai pas, non plus, assez pour mes soins corporels. Je préférerais voler dans les magasins que réclamer quoi que ce soit à mon père : je ne désire rien lui devoir.

Du fait de mon travail scolaire assidu, j'obtiens d'excellents résultats. Les enseignants me proposent de poursuivre en lycée général, en première. Je suis fière, un temps… En effet, je ne suis pas stimulée par ma famille de sang qui trouve tout à fait ordinaire que je fasse mon possible pour réussir ma scolarité. Quant à mon père, il ignore ostensiblement cette avancée, il ne m'en parle pas. En revanche, tata clame : « Ah, enfin, tu te reprends ! » Dès lors, ma fierté est pulvérisée parce que je ne sais pas jouir de mes prouesses sans témoignage tangible. Sans encouragement, malheureusement, il m'est bien difficile d'avancer.

Si je travaille aussi régulièrement ce n'est pas juste par désœuvrement, mais aussi par amour. J'ai la chance de rencontrer une professeure extraordinaire qui me prend sous sa coupe. Je l'aime énormément. Elle tempère juste mes excès en classe. J'apprécie tout en elle, sa jolie figure, sa tenue apprêtée et sa patience. C'est toujours avec douceur qu'elle me gronde lorsque je dépasse les bornes. Elle a confiance en moi et elle me pousse à poursuivre mes études. Enfin de la reconnaissance ! J'ai souvent associé cette dame à une maman rien que pour moi. Après ces deux années au lycée, il me faut la quitter et ne plus jamais la revoir : c'est un déchirement. Elle n'est que ma professeure et seulement de passage dans ma vie ! Encore un fantasme qui s'écroule…

Me voilà en première, en voie générale. Cette année-là, je fais la rencontre de deux personnes qui marquent mon cœur avec force.

Je tombe amoureuse. *Maman*, comment ça marche l'amour entre une femme et un homme ? Je n'ai guère de repères. J'y vais à l'aveugle et bien sûr, je me plante. J'ai dix-sept ans et Patrick a six ans de plus que moi. Je suis obnubilée par cet homme qui rassemble assurance et aisance verbale. Copierais-je sur toi, *maman*, qui a épousé mon père aux mêmes caractéristiques : un beau parleur séducteur ? Sans doute un « Œdipe » qui s'est mal passé. Cela sent l'embrouille psychologique. Je vis deux années avec lui. Je me sens toute petite, incapable et misérable à côté de lui à qui je voue une admiration sans fin. Après m'avoir abîmée moralement et affectivement, il me quitte. C'est un grand, un gros chagrin d'amour !

*Maman*, je me serais bien assise à côté de toi sur le canapé et j'aurais posé ma tête sur ta douce épaule. Entendre le murmure de ton cœur aurait suffi à conforter l'existence d'un sentiment immuable pour moi. Mais depuis que tu as disparu, je ne ressens rien de tel. C'est le néant affectif.

Je sors de cette relation brisée dans mon amour-propre et mon cœur saigne de ce rejet. Je mettrai un temps infini à caser cette rupture dans un coin de ma mémoire afin qu'elle ne surgisse plus dans mon présent et l'affecte.

Dès lors, je cherche à réparer le délitement de mon âme et je me réfugie souvent chez mon amie Pascale. C'est une jeune fille de mon âge. Elle aussi, vit seule dans un appartement. Comme nos vies peu ordinaires sont similaires, inévitablement nous nous rapprochons. C'est une belle rencontre. Nous bâtissons une étonnante amitié qui dure et durera. Pascale a un don : elle est la seule personne qui m'amène à des fous rires démesurés. Pour moi, l'hilarité est un fortifiant et un exutoire. Là, je me sens dans mon élément : je pars à la recherche de bonnes rigolades et s'il le faut, je m'aide par l'alcool. J'imagine que tu désapprouves la bouteille de vin, *maman* ! Qu'importe, je n'ai aucun interdit ni aucune information dessus. Dorénavant, Pascale et moi devenons inséparables. Nous sommes en classe de première et nous séchons régulièrement les cours. Parfois, nous prenons un train pour voir si ailleurs, c'est meilleur.

Pascale est une mine de fraîcheur grimée par quelques coups de pinceau noirs. Je me laisse facilement entraîner par ses envolées bucoliques et je m'endors avec elle sur un tapis de verdure… D'autrefois, je lui tiens la main et j'arpente le trottoir souillé par ses tourments. Je l'accompagne aisément : c'est facile, j'erre sur le même bitume.

Pascale est en souffrance. Alors que ses deux parents sont vivants, elle vit esseulée : ils l'abandonnent à quinze ans à une vie de femme. L'appartement où elle habite fait office de réunion entre jeunes qui festoient, boivent et fument des joints. Il y a des lendemains difficiles ! Bien évidemment, nos frasques ne nous permettent pas de passer en terminale.

Déscolarisée, je dois travailler. Ma majorité approche à grands pas et mon père ne financera pas un logement si je ne fais rien. Cela me semble tout à fait régulier. Je déboule, alors, sur le marché du travail : je garde des enfants, je fais des ménages, je travaille comme vendeuse dans une bijouterie et je tombe les bois des vignes.

Mon mal-être continue à grandir en moi… Je ressens que je suis dans une impasse : je ne suis embauchée que pour de petits boulots. Je n'ai aucun diplôme, je ne peux pas prétendre à un métier plus enrichissant.

J'ai dix-huit ans et j'hérite. Grâce à ton décès, *maman*, je reçois quelques milliers de francs… Je n'ai pas envie de cet argent qui signe ton arrêt de mort. Je ne peux toujours pas concrétiser ta disparition. Ma situation financière m'oblige à prendre ces billets de la mort. Avec cette somme, je décide de passer le permis, d'acquérir une voiture et de combler les mois creux où les gains de mes petites besognes ne suffisent pas.

Pendant deux ans, je trace ma route sans vraiment trotter dessus. Mes petits travaux sans intérêt terminés, je sors avec mon amie Pascale. Nous passons nos journées dans des conciliabules qui s'éternisent la nuit. C'est un divertissement exceptionnel, nous ne sommes jamais à court de rhétorique. C'est avec emphase que nos joutes se mêlent. Nous sommes abîmées par la vie, mais encore légères dans l'âme grâce à notre jeune âge.

Sur mon chemin, je rencontre des gens plus ou moins distrayants. Lors d'une soirée entre amis au restaurant, nous avons le plaisir de regarder une pièce de théâtre : une petite scène avait été montée pour l'occasion. Le comédien a les cheveux longs et tout blancs. Alors qu'il se déchaîne sur scène, mon rire rebondit à ses pitreries et une douce émotion vient m'enrôler quand il nous embarque dans une ambiance plus poignante. Son one-man-show est très réussi, il est applaudi avec force. L'un de mes amis connaît l'artiste et invite Coco à boire un café avec nous. Ce dernier arrive escorté de sa compagne, Dany.

Entre ce couple peu ordinaire et moi, nous avons un coup de foudre réciproque. Un soir, ils me convient à dîner : ils ont quinze ans de plus que moi. Leur maison est accueillante. Un joli feu brûle au fond de l'âtre. Devant la cheminée, fauteuil et canapé proposent une détente assurée. Ici et là, des tableaux peints par Dany sont suspendus aux murs. Paradent aussi de jolis bibelots fantaisistes. Quelques photos d'instants joyeux sont accrochées pêle-mêle. Et pour clore cette ambiance des plus chaleureuses, des vases accueillent de magnifiques compositions florales. Le repas approche, je suis fébrile et très intimidée. De la cuisine qui donne sur le salon, une odeur vient titiller mes narines et mon ventre réclame pitance. Je passe une soirée à rire, à sourire et à être un peu gênée. Du haut de mes dix-neuf ans, j'ai du mal à saisir cet intérêt porté sur moi par des personnes adultes : ils me traitent comme leur égale. Instinctivement, je suis sur la défensive. À ce jour, le monde des adultes m'a toujours mise à mal.

Par la suite, je passe beaucoup de moments en leur compagnie. Ils me « traînent » dans leurs expéditions. Ils m'écoutent longuement au coin de la cheminée. Dany s'occupe de moi comme une « petite » mère. Elle me console de mes chagrins. Elle m'aide à user de ma personnalité et à l'utiliser à bon escient. J'aime profiter de leur environnement et maintenant, je me sens très à l'aise dans ce cocon amical. De nouveau, j'ouvre mon cœur. Je prends une nouvelle fois le risque qu'il soit brisé en mille morceaux, mais si je ne tente rien, je vais me morfondre dans un mutisme lugubre qui va me tuer…

Je n'émerge toujours pas de mon histoire avec Patrick. Ce dernier revient ponctuellement dans ma vie. Il me fait rêver et finalement transforme le tout par une démission. Je décide alors de mettre huit cents kilomètres entre lui et moi. Je fuis cet homme : je ne souhaite plus être broyée moralement par un amour impossible.

Promptement, je pars pour la ville de tata. Ce n'est pas un bon choix. Elle n'a de cesse de me bousculer et encore une fois rien de ce que je fais n'est satisfaisant à ses yeux. Je venais juste chercher un peu de réconfort et de tendresse. Je me suis une nouvelle fois leurrée. Pourtant, je continuerai à avoir une relation avec la tata. C'est le seul substitut parental qui paraît attaché à moi, même si son attitude envers moi n'est pas toujours aimable. J'y reste deux ans : je comprends que mes attentes en matière d'amour sont vaines. Tata ne change pas ! Un jour, avec beaucoup d'aplomb, elle me raconte qu'une personne m'a vue dans la rue avec des vêtements froissés. Je m'insurge et réclame haut et fort un nom : qui a pu avoir l'indélicatesse d'émettre des critiques à ma tante sur ma tenue ? Je m'obstine et elle finit par m'avouer que personne n'a rien proféré de tel, mais elle veut s'assurer que je m'habille convenablement : j'ai vingt ans ! À cet instant, tata m'a fait pitié. Je l'ai trouvée désobligeante et ridicule.

Pascale, Coco et Dany me manquent et c'est avec eux que je veux partager des moments. Ma blessure s'est colmatée, je ne suis plus écorchée à vif par la rupture avec Patrick, je peux retourner dans la région Bordelaise. Je quitte rapidement la ville de tata, je ne la supporte plus.

Je suis en Gironde à la rue : je n'ai ni travail ni logement.

J'ai vingt-deux ans.

Coco et Dany proposent de m'héberger et en échange, je garde le fils de Dany lorsqu'ils partent en tournée. Le deal me paraît tout à fait correct. Je mets juste quelques sous dans la boîte à « pognon » pour les courses. J'entreprends de travailler dans les vignes pour pouvoir remplir cette petite caisse et je m'occupe tendrement du fils de Dany âgé de dix ans. Je me sens utile et reconnue. Je passe une année chez eux à profiter de leur chaleur affective. Cependant, je continue à traîner mon bagage à tourments et un saisissement nostalgique prend le pas sur la réalité : j'erre bien trop longuement sur les chemins du passé.

*Maman*, tu me manques tellement que cette douleur empoisonne ma vie.

Parfois, je plonge dans un désarroi incommensurable : la tristesse me gagne et m'englue de partout. Le mieux que je trouve à faire, c'est de l'ignorer et de passer à autre chose. Dany m'aide en me boostant sur de grands comme de petits projets. Ainsi, j'apprends à coudre. Un vrai régal. Grâce à elle, je comprends que « créer » est un exutoire salutaire pour ma mélancolie périodique. J'aide aussi Coco au jardin. J'adore tailler, nettoyer, rendre encore plus beau ce qui est déjà magnifique. Même leur jardin est à la hauteur de ce qu'ils symbolisent : c'est haut en couleur !

Dany n'a de cesse de vouloir m'embellir. Je suis, ainsi, recouverte de tissu bien coupé qui met en valeur ma silhouette. J'aime sentir ses doigts courir sur ma peau quand elle appose l'étoffe sur mes épaules. En fait, je la chéris d'autant plus quand elle s'occupe de moi. Coco me conseille de reprendre des études. C'est ainsi que je pars pour une formation pour adultes dans le domaine de l'informatique. Je deviens technicienne en bureautique et j'obtiens une équivalence baccalauréat reconnue par l'État. Ma vie professionnelle évolue : je crée une rupture définitive avec les petits boulots.

Tu vois, *maman*, je peux réussir ! J'attends tes félicitations, là…

Dès lors sur le marché du travail, des portes s'ouvrent : je vends des ordinateurs et des imprimantes. Je dois parcourir avec ma voiture de fonction la région et proposer nos produits. Je n'y arrive pas bien. Plusieurs fois, mon jeune âge est rédhibitoire et je ne suis pas prise au sérieux. Après quelques déboires de ce genre, je reste cloîtrée dans ma voiture et honteuse, je laisse glisser le temps sans bouger de mon siège. Quand l'heure de rentrer à la société sonne, je me précipite sur l'asphalte et je me calfeutre dans mon bureau. Le patron, inévitablement, me demande des comptes : je n'ai rien vendu. Je suis remerciée au bout d'un mois.

Je ne suis plus seule et je peux partager mes déboires avec mes grands amis, Coco et Dany. Ils sont toujours là pour me soutenir. Je me projette : je donne à ce couple une place importante dans mon quotidien et dans mon cœur. Je délire sur l'un comme sur l'autre. Je songe à Coco incarnant un père pour moi et je cherche en Dany l'amour maternel. Sauf que la réalité ne correspond pas à mes aspirations et je vais le comprendre un peu trop abruptement.

Après un certain nombre d'années de compagnonnage, Coco et Dany décident de se marier. Ils arrêtent une date et invitent leurs proches. Je ne suis pas conviée. J'éprouve une profonde peine qui me ravage le cœur. Je dois être lucide : je ne fais pas partie de leur famille. Encore une fois, je me suis fourvoyée et j'ai fantasmé sur des illusions qui, fatalement, se sont effondrées. Je suis la fille de personne.

Je demeure à jamais une « sans famille » !

*Maman*, tu es impossible à remplacer. J'en ai assez !

Parfois, la rage m'embrase longuement et je te déteste, *maman*. Puis, le remords m'engloutit : je n'ai pas le droit de ressentir cette fureur alors que tu as terminé ta vie dans l'agonie. Pour clore cet état émotionnel, une colère absurde et avilissante se retourne contre moi et c'est à moi-même que j'en veux.

Sans crise d'adolescence, sans conflit avec toi, comment me séparer de toi, *maman* ?

Et même, comment sortir de l'enfance si tu n'es pas là pour me pousser gentiment vers le monde des adultes ?

Hein, comment je fais ?

## La vie ou la mort

Avec mon diplôme de technicienne informatique, je réussis enfin à trouver une entreprise qui me confie une mission intéressante. Je suis opératrice de saisie dans une société aéronautique. J'encadre trois jeunes femmes et je développe des outils informatiques pour faciliter le travail des préparateurs sur avion. L'immersion dans cette grande structure m'est bénéfique : je m'y sens bien et je suis valorisée dans mon travail. Je prends de l'assurance. Les personnes qui m'entourent sont bienveillantes et c'est dans une très bonne ambiance que j'enchaîne les tâches dans mon bureau.

Socioprofessionnellement, je m'éclate, *maman* !

Une personne se détache de cette équipe sympathique : François. Il est drôle et attentionné. Avec plaisir, chaque jour, je vois son sourire réservé, son regard noir et intense posé sur moi. Pendant plusieurs mois, notre relation évolue et nous entretenons des apartés de plus en plus intimes. Nous nous rapprochons et cette complicité entraîne une première invitation : nous allons disputer une partie de tennis. Après quelques échanges de balles, François me propose un rafraîchissement chez lui. Assise sur le canapé, je goûte à la paix qui règne dans cet appartement : je m'y sens à l'aise, très à l'aise…

De fait, je mets en branle la machine à projections : je souhaite entre autres que cet homme devienne le père de mes futurs enfants. Je sais, je vais vite, mais c'est comme une évidence : François sera un excellent papa. L'image de mon paternel est emplie de narcissisme, d'égocentrisme et de mots glaçants. Quant à François, il transpire la magnanimité et la quiétude. Lors de nos conversations, je suis en paix avec lui. En sa compagnie, je coule des jours paisibles. Je m'attache à ne plus subir mes vieilles humeurs. Je réfute, alors, à penser à toi, *maman*. J'ignore autant que possible mes anciennes blessures. Je tente de faire peau neuve pour m'appliquer à vivre sereinement. Je n'y arrive pas toujours et diaboliquement, je suis dévastée : je craque !

François est toujours là pour adoucir mon mal-être. Dans ma vie présente, il m'aide à maintenir un fil tendu et solide sur lequel je peux laisser glisser mes pas…

À vingt-cinq ans, nous nous marions et qui plus est à l'église ! En effet, notre mariage doit être béni par un sacrement religieux. Ainsi, je fais plaisir à tata et j'évite un conflit qui, inévitablement, jaillirait.

En revanche, il est inconcevable que mes futurs petits soient baptisés et qu'ils prennent de la flotte sur la gueule ! Lors de ce genre de cérémonie, ridicule à mon sens, ce ne serait pour eux que des cris à pousser et des larmes à verser. On ne touche pas à un seul cheveu de ma progéniture. Tata peut bien m'écraser sous ses récriminations et m'étouffer avec, je m'en fiche.

ON NE TOUCHERA PAS À MES PETITS !

À peine mariés, nous décidons d'avoir des enfants. Je souhaite tellement donner la vie. Je veux des bambins dans mes pattes, caresser une peau de velours, entendre un rire cristallin et solliciter des sourires béats. Je désire tant et tant avoir un ventre proéminent : je veux qu'il soit énorme pour montrer à ma face et à celle des autres que je sais créer la Vie. Mais la nature en décidera autrement et je vais poursuivre ma sale route macabre…

J'ai des douleurs dans le bas-ventre alors je vais consulter. Le verdict sonne comme un glas !

« Vous êtes enceinte, mais…

— Mais quoi ?

— La grossesse se passe mal…

— Quoi ?

— Vous allez faire une échographie.

— Ah…

L'imagerie révèle un utérus vide. L'œuf est resté coincé dans la trompe. Il faut opérer et retirer ce bout de vie déjà avorté.

— Demain, on aspirera l'œuf de votre trompe.

— Non ! hurlé-je.

— Pourquoi ?

— Je ne veux pas d'un truc mort dans mon ventre : ôtez-le-moi de suite ! »

Du coup, je suis opérée dans la nuit.

*Maman*, oh, *maman*, pourquoi n'es-tu pas là pour me tenir la main ? Tu m'aurais comprise, toi qui as subi des fausses couches à répétition.

*Maman*, je veux donner la vie, pas la mort.

Maintenant, il faut attendre plusieurs mois avant de tenter une nouvelle grossesse. Je ne lâche pas l'affaire et dès qu'il est possible, je suis de nouveau enceinte. À ma première consultation, on sait que cette fois-ci l'utérus est occupé. Une joie indescriptible m'étreint et elle me réconcilie avec le monde entier. Ma frustration s'est envolée et ma grossesse extra-utérine n'existe plus dans mes souvenirs. Le jour de la première échographie, je supplie François de m'accompagner. Je souhaite qu'on voie ensemble ce minuscule bout de vie de deux centimètres. Vite convaincu et tout sourire, il m'y conduit. Là, je suis allongée sur une table lit. Un docteur me badigeonne le ventre d'un gel froid et avec beaucoup de délicatesse y promène un instrument. Enfin, il voit une masse. Il marmonne : « Il est là, regardez sur l'écran. » Une jubilation indéfectible me transporte. À mesure que le médecin poursuit son auscultation, son visage se ferme. Les minutes se prolongent dans un lourd silence. Je commence à m'inquiéter. D'un coup, il stoppe la machine et il se tourne vers nous :

« Le cœur ne bat pas.

— Est-il mort ?

— Oui. »

François me prend dans ses bras et nous pleurons tous deux sur cette vie à peinc ébauchée qui fout le camp sans prévenir ! Encore une fois, je n'hésite pas : il n'est pas question de laisser traîner quoi que ce soit dans mon ventre. Je demande un avortement immédiat !

De retour à la maison, je constate que François a enlevé tout ce qui concernait notre futur bébé, notamment une paire de petits chaussons en laine verte dans lesquels il enfilait ses doigts pour jouer aux marionnettes. Que je riais !

*Maman*, tu n'es pas là, mais sache que mon mari a l'attention et la délicatesse d'un prince. Je m'accroche à lui comme une éperdue. J'aurais tant aimé que tu me parles de tes grossesses ; j'aurais apprécié être rassurée… J'aurais aimé connaître ton expérience pour préparer la mienne. À chaque pas dans ma vie, et ce, depuis que tu as disparu, je ne bénéficie pas de ton exemple, soit pour le suivre, soit pour le contester.

Tata, encore elle, est venue ! Elle a fait huit cents kilomètres en train pour me soutenir dans cette épreuve. À son arrivée, je n'éprouve aucun soulagement, mais je ne sais pas dire « non », comme d'habitude. Je ne la veux pas à la maison. Je ne souhaite mélanger ma tristesse qu'avec celui qui est le plus impliqué : le futur papa qui n'est pas devenu père. Je suis abattue et mélancolique, mais tata me houspille pour que je reprenne du poil de la bête, en me forçant à m'attacher aux tâches de tous les jours. Je la déteste et en même temps, je suis incapable de résister à ses attentions maladroites.

Par pugnacité, je ne me laisse pas décontenancer par l'adversité. Je mène mes combats en fonçant tête baissée vers le futur et je m'attelle de nouveau à procréer. Deux mois après, je suis enceinte. En une année, j'ai eu trois grossesses. Je suis très fertile ! Cette fois-ci, l'œuf a passé la trompe sans encombre. La première image que je vois du fœtus est un petit amas laiteux avec les valves du cœur qui battent la mesure. Quelle joie ! Je suis transportée.

Ça y est, *maman*, je suis à deux mois de grossesse et tout se passe normalement.

Nous ne voulons pas connaître le sexe de ce futur bébé, nous voulons rajouter à la surprise de cette naissance la découverte de son genre. C'est ainsi que nous nous chamaillons sur le prénom. Pour une fille, nous avons un consensus, mais pour le garçon c'est plus compliqué jusqu'à ce que je propose le prénom de mon frère, Éric. François l'aime beaucoup et c'est avec bonheur, enfin, que nous nous entendons.

Par pure convention, je demande à l'intéressé s'il serait d'accord que son prénom soit utilisé si nous mettions au monde un garçon. Sa réponse m'étonne fortement : « C'est laid, ce prénom, mais si cela vous fait plaisir, bien sûr, je suis d'accord. » Sa réplique m'attriste. Mon frère s'aime si peu…

*Maman*, cela t'aurait sûrement fait plaisir d'avoir un petit-fils du même prénom que ton fils, non ? Je ne connaîtrais jamais ta réponse…

# Éric

Mon ventre s'arrondit, *maman…*

Je m'habille moulant pour prétendre au titre de « femme enceinte ». C'est merveilleux. Je suis aux anges. La montée d'hormones me rend légère à mesure que mon poids s'alourdit de quelques kilos. Dans mon bain, je me prélasse dans une eau parfumée : je rêvasse. Soudain, je pousse un cri de surprise ! François se précipite dans la salle de bain. Je suis là, en admiration devant de petites bosses qui pointent leurs dômes en soulevant la peau de mon ventre : le bébé bouge ! Nous restons tous deux cois face au miracle de cette vie qui se promène allègrement. Des larmes de félicité coulent sur mes joues. Notre futur enfant est bien vivant. Quelques minutes après, François s'empresse de téléphoner à sa mère et lui faire part de notre ravissement.

Je ne peux m'empêcher de penser à toi, *maman.* Je ne partagerai pas cette joie avec toi, jamais. Alors, je me laisse glisser dans l'eau tiède de mon bain et je ferme les yeux. En pleine fiction, je pars avec toi dans un entretien imaginaire sur mon bébé qui cabriole dans mon ventre. Sur l'instant, ce dialogue muet me remplit d'aise, mais son absurdité finit par me laisser une boule amère en travers de la gorge. Je déglutis, puis je me redresse : les yeux humides, je me concentre sur la géométrie des carreaux bruns de la salle de bain.

Avoir les entrailles occupées et être certaine de créer la vie me donnent une impression de surpuissance ; j'ai l'assurance d'un guerrier, la beauté d'un apollon, l'intelligence d'un savant : je suis ! J'engendre la vie donc je vis. Cependant, je suis effrayée par le futur de ce petit être qui nage en moi. Je me sens démunie face à ce prodige et pense à l'accouchement, à l'allaitement, à la manière de s'occuper d'un nourrisson, aux premiers pas et aux premiers mots : je panique un peu…

*Maman*, tu m'aurais sûrement raconté comment je suis venue au monde et j'aurais écouté avec affection tes anecdotes. J'aurais puisé dans tes sources pour parer ma maladresse de maman débutante. Là, j'avance sans savoir si mes actes sont conformes ou pas. Je ne peux que suivre mon instinct. Je n'ai pas le plaisir de me laisser guider par ton exemple : tu es sourde à mes questions.

Dotée de son expérience, ma fidèle et grande amie Dany me donne des éclaircissements : elle me rassure. La mère de François m'est aussi d'un grand secours. Ces soutiens sont des béquilles sur lesquelles, *maman*, j'aime m'appuyer. Je ne suis plus totalement esseulée par cette agitation obsessionnelle : est-ce que je fais bien ?

Même après trois enfants, je t'ai toujours vue très mince, *maman*, et souvent, je me demande comment tu as fait pour perdre ces kilos suite à une grossesse. Je suis inquiète, je prends du poids. Et pour l'accouchement, as-tu souffert ? Pour mon frère, je le sais, cela a été compliqué, mais à quel point ? Je suis apeurée par la mise au monde de mon bébé ; j'ai besoin que tu m'expliques tout ce que tu as vécu lors de tes maternités. Ton silence m'est tellement douloureux… J'aime penser que tu aurais été réjouie du statut de grand-mère. Tu sais, *maman*, tu as quatre petits-enfants. Malheureusement, tu n'auras jamais l'enchantement d'avoir la fonction de grand-mère. Pauvre *maman*...

Je ne suis jamais allée autant dans les magasins. Tiens, *maman*, j'y serais bien allée avec toi ! Pourtant, je déteste les commerces et la foule. Mais là, rien ne m'arrête pour acheter table à langer, berceau, petit lit et tout un tas d'accessoires nécessaires à ma maternité. Mon excitation est décuplée et c'est tout sourire que je promène ma gaieté dans mes journées.

Un soir, François me propose d'aller dîner au restaurant au bord de l'océan. L'eau est calme, apaisante et le cadre dans lequel nous faisons dînette est magnifique. Tous deux novices, sur le thème « parent », nous divaguons sur notre futur avenir à trois. Nous sommes prolixes sur le sujet, nous rions et nous affichons des sourires d'extase. Main dans la main, nous regagnons notre véhicule. Tout au long du trajet, un silence serein nous enveloppe. Perdus dans nos pensées, nous ne voyons pas le paysage défiler devant nous.

Mais c'est sans compter sur mes cogitations internes : celles qui font mal et qui viennent paralyser un moment idyllique. Je suis ainsi faite, je ne sais pas profiter de l'instant présent, mon esprit s'enfuit toujours vers des contrées dangereuses. Mon regard glisse sur le bitume avalé par notre voiture lorsque soudain, le visage de mon frère, Éric, s'impose à moi. Quelques mois plus tôt, ce dernier m'avait confié sa tentative de suicide. À la montagne, pistolet en main, il avait tiré une balle en l'air. À l'origine, cette balle était destinée à perforer son crâne. Il avait parachevé cet aveu par une violente phrase : « J'étais parti pour me tuer, tu comprends Fabiola ? »

Abasourdie et en pleurs, je l'avais pris dans mes bras. Je lui avais murmuré : « Je t'aime. » La confession de mon frère m'avait perturbée : j'étais démunie et sans réponse intelligente pour faire face à cette monstrueuse déclaration. Dix ans après, le souvenir du suicide de Valérie réveillait inévitablement une douleur intolérable : elle me dévorait encore… Dès lors, je paniquais face aux dires d'Éric.

Après quelques mots de réconfort maladroits, j'ai hurlé qu'il n'imaginait pas ce qu'il laisserait sur terre : des amis et de la famille désemparés… Tout ce petit monde allait culpabiliser de n'avoir rien fait pour qu'un tel acte n'existe pas.

J'ai spéculé sur la mort de mon frère. J'ai médité sur la douleur qui allait m'atteindre, mais j'ai occulté le terrible tourment qui poussait Éric à s'ôter la vie. Quelle immonde souffrance doit-on ressentir pour avoir comme unique solution salvatrice : mettre fin à ses jours ! À mesure que je prononçais mon désarroi et manifestais ma colère face à son désir morbide, je mesurais l'aberration de mon discours.

L'être humain est une toupie autour de son axe : l'égoïsme.

Je fais partie de cette humanité-là.

Éric m'avait fait promettre de ne pas parler de cet incident, même à François. Comme quand nous étions petits, j'ai respecté son secret, et je me suis tue. Il m'avait convaincue qu'il ne recommencerait pas : il ne voulait plus mourir…

Après notre dîner au bord de l'océan, dans la voiture, je suis accablée par ce souvenir sinistre. Dès lors, des réflexions sombres surgissent et me dévastent. Je nage en pleine confusion mentale et… j'imagine mon frère tuant d'un coup de pistolet mon père ! Choquée d'avoir des idées aussi dramatiques, je m'oblige à regarder les arbres qui défilent à grande vitesse : je veux biffer cette empreinte malsaine. Je cesse brutalement mes divagations : je souhaite sortir de ce cauchemar imaginaire.

Éprouvée quand nous arrivons à la maison, je croule sous l'angoisse. Je pénètre à l'intérieur très affectée. Je pars immédiatement me coucher.

Le téléphone sonne ! Il est vingt-trois heures.

C'est une heure tardive qui annonce une mauvaise nouvelle, j'en suis sûre. Je ne souhaite pas répondre. François, quant à lui, se précipite sur l'appareil. Je l'entends depuis la chambre. Mais ce ne sont que borborygmes mêlés à de grands silences qui s'échappent. N'y tenant plus et par je ne sais quelle impulsion, je me lève, me dirige vers le salon et j'arrache le combiné à François. C'est tata !

Ton frère a fait une bêtise.

— …

— Il s'est tiré une balle dans la tête. Il est entre la vie et la mort. Son cerveau est très endommagé et il respire artificiellement.

— Il va survivre, hein, tata ?

— …

— Où est-il ?

— À Lyon.

— À Lyon ?

La peur, la panique et la culpabilité m'ensevelissent sous une étoffe oppressante. Asphyxiée par ces désarrois, j'en oublie tout, et même le petit être dans mon ventre. Mes pensées bouclent dans l'épouvante. Désorientée, horrifiée et tellement vide, je veux hurler, mais rien ne sort… J'ai vingt-six ans, j'agonise : je vomis ma vie ! Plus rien ne vaut la peine : j'ai envie de crever, c'est tout.

Avec toute sa tendresse, François tente de me consoler, mais je ne m'accroche à aucun de ses réconforts : ils glissent…

De nouveau au petit matin, le téléphone sonne : c'est la maman de François. Elle m'annonce que c'est fini : Éric est mort…

Je ne suis douloureusement pas surprise, mais j'ai l'âme glacée. Tout s'écroule. L'enfant en moi est amputée : mon compagnon de jeux et de tourments est mort. Avec qui parlerai-je des souvenirs sur nos foutues parties de cow-boys et d'Indiens ? Avec qui discuterai-je des heures et des heures durant sur la manière dont tourne le monde ? C'était mon dernier lien avec cette enfance égarée devenue un jardin jamais entretenu. Il n'était qu'un sol broussailleux où poussaient quelques coquelicots sauvages. Seul Éric savait préserver l'existence de notre pays enfantin. Mon enfance s'est désagrégée avec son autodestruction !

*Maman*, tu avais déjà emporté avec toi une grande partie de moi. Que me reste-t-il, aujourd'hui ?

Et puis et puis… Une chose horrible tracasse ma conscience : « Si j'avais été lui, j'aurais fait pareil ! » Quelle ignominie d'imaginer que la meilleure chose qui puisse arriver à un être que l'on aime, c'est sa mort, afin qu'elle le soulage du poids de sa vie !

Éric était un être complexe, timide et souffrait sûrement d'une grave dépression. Il lisait beaucoup Nietzsche, ce qui a accentué sa vision pessimiste de la vie et fortifié sa conception nihiliste. Il habitait dans un appartement sordide parce qu'il ne rangeait pas ni ne nettoyait son studio. C'était épouvantable de saleté ! Cette crasse lui collait à la peau.

Son endroit de vie n'était que le reflet de son âme.

Oh, *maman* ! nous partons pour Lyon…

Papa avance dans le hall de l'aéroport droit comme un I. À ses côtés, ma grande sœur Margot trottine ; sa chevelure blonde ondule dans son dos. Je ne regarde qu'eux. Il me faut du vivant ! Ma famille n'est pas encore totalement décimée…

Bien sûr, j'ai la main de François douce et chaude qui enserre la mienne devenue si petite qu'elle pourrait fondre dans la sienne. Je ne chus pas grâce à cette poigne rassurante. La vie continue, je suis là, me dit-elle.

Pourtant, je traîne, seule, les débris de mon âme vers cette cruelle épreuve. Ce sont des émotions qui ne se partagent pas.

J'aimerais tant rembobiner ce film d'horreur : je pourrais ainsi tenter de sauver mon frère de lui-même.

*Maman*, il nous faut reconnaître le corps !

Quelle horreur ! Éric est là, sorti du frigo, allongé sur une table dans une pièce de la morgue. Margot et moi tournons autour, comme des observatrices de rats de laboratoire. C'est notre frère là ? C'est à lui ce corps inerte, froid et aux paupières violettes ? Nos regards se croisent : l'a-t-on maquillé ? Sans échanger un seul mot d'explication, nous saisissons que la balle a traversé la tête : deux énormes hématomes apparaissent sur et autour de ses yeux clos.

Bouleversée par ce sordide constat, ma sœur hurle et elle s'écroule sur le cadavre de notre frère. Sidérée par son attitude, je reste interdite à la regarder avachie sur l'immensité de ce corps horizontal qui ne prendra jamais plus sa position verticale. Je tente de dégager doucement ma sœur : je veux voir mon frère dans son entier. Elle s'accroche désespérément au cadavre. Je demande à François de m'aider : je trouve cette scène obscène.

Avant notre vol pour Lyon, Margot n'a pas pu ou voulu que nous nous consolions mutuellement. À ma tentative d'étreinte, Margot demeurait les bras ballants, le regard vide et fixe.

*Maman*, je ne comprendrai jamais les réactions de ma sœur !

Mon père s'est réfugié dans la pièce d'à côté : il est effondré sur une chaise et sanglote bruyamment. Pour la première fois de ma vie, je le vois pleurer. Je n'ai aucune compassion pour lui, et même, je lui en veux terriblement !

Éric m'avait tant et tant parlé de ce père qui n'avait aucune admiration pour son fils introverti : il en souffrait affreusement. Un jour, alors que nous dînions tous les deux à la maison, Éric s'était levé de table. Son visage s'était empourpré. Poings et dents serrés, il avait fermé les yeux, rejeté sa tête en arrière et il avait craché toute sa haine vis-à-vis de notre père. Il avait conclu son monologue par : « Papa ne m'aime pas ! » Son discours m'avait abattue net. Ses yeux agrandis par une intense tristesse mêlée de colère avaient confirmé mon impuissance à obtenir une esquisse de sourire. Seul mon père aurait pu lui donner l'assurance de devenir un homme heureux, mais il en était bien incapable.

Maman, je suis soulagée que tu n'aies pas eu à vivre le drame de ton petit garçon. Perdre un enfant est une émotion indicible : il n'y a pas assez de lettres dans tout l'alphabet pour former un mot adapté. Cependant, si tu avais été encore de notre monde, ton fils aurait eu quelqu'un pour veiller sur lui et l'aimer comme il se doit. Ton absence a fragilisé sa constitution alambiquée. C'était un cœur qui ne demandait qu'à s'emplir d'amour : il avait en lui la générosité de le restituer au centuple. Il est mort par manque de reconnaissance et d'amour. Il est mort parce qu'il évoluait difficilement dans le monde des gens ordinaires. Il est mort parce que la Vie ne l'habitait plus… C'est un « putain » de crime sur soi !

Et si j'avais parlé ? Et si j'avais fait part du mal-être d'Éric. Mais à qui ? Mon père ? Ma sœur ? Bien trop affairés, ils ne pouvaient pas prendre conscience de ce qui se tramait si loin de leur vie.

*Maman*, je me répète, mais si tu avais été là, Éric serait en vie et nous ririons encore de nos espiègleries mutuelles. Mon frère s'est donné la mort : la culpabilité commence, alors, à me ronger de l'intérieur et ne me laisse plus que la peau sur les os. Elle me grignote chaque minute de mes journées, et ce, pour de nombreuses années. J'enterrerais bien ma tête au fond d'un trou noir pour ne plus entendre cette rengaine lancinante : « Je savais, je n'ai rien dit, je n'ai rien fait pour lui. » Maintenant, l'ignominie m'oppresse : je vais exploser de honte ! Je voudrais oublier l'image de ce corps sans vie : je me sens bien trop responsable de son immobilité. Plus tard, j'entendrai cette phrase qui finira de m'achever dans une mortelle culpabilisation : « Pourquoi, n'as-tu rien dit ? » Je ne répondrai rien… Je n'ai rien à dire… Silencieusement, je penserai : « il avait promis qu'il ne se tuerait pas… » Je l'ai cru comme dans nos jeux guerriers où même tué par une flèche d'Indien, il se relevait toujours. En solitaire, il a joué aux cow-boys. Je n'étais pas là pour éclater d'un rire cristallin qui aurait sonné la fin du simulacre. Il a joué pour de vrai ! Terminé les taquineries, fini nos chamailleries, au revoir à nos complicités, adieu à notre fraternité !

Je me rassure un peu : Éric ne souffre plus. C'est la seule chose, *maman*, que je trouverais à te dire pour te consoler de cet immense chagrin.

Après être sortis de la morgue, nous avons rendez-vous avec la police. Nous sommes tous les quatre assis face à un policier. Ce dernier entreprend d'énoncer les faits. Puis, il se lève, étend le bras au-dessus d'une armoire et attrape un objet enveloppé d'un tissu marron. À peine assis, il déroule l'étoffe. Nos yeux s'écarquillent de stupeur face à l'arme. Je reconnais le revolver, je l'avais tenu dans mes mains. Lorsque Éric habitait chez nous (il était à la rue), il m'avait fait part de son lourd secret (sa tentative de suicide à la montagne). Chez moi, j'avais fouillé sa chambre et j'avais trouvé l'arme ; elle était pesante et me brûlait les doigts. Je tremblais. Avec précaution, je l'avais reposée là où je l'avais trouvée dans une poche en plastique. J'avais promis. Maudite promesse ! Je traînerai à vie mon manque de détermination, à savoir dérober cet objet meurtrier et l'enterrer au fond du jardin.

Face aux policiers, nous avons tous les quatre les yeux rivés sur l'arme : ce colt est l'ennemi ; celui qui a tué Éric.

Le policier nous tend un gros dossier. Ce sont les écrits d'Éric : des pages et des pages noircies d'une écriture malhabile au contenu intensément noir. Cependant, une feuille de couleur ressort. Éric exprime à sa famille ce qu'il attend de nous : « Je vous demande d'aider Corine. Dans le cas contraire, je n'aurai pour vous qu'un vain dédain… »

Le mot vain prend une réalité macabre et ce dernier tourneboule dans ma tête. Mort, les sollicitations d'Éric ne peuvent être que dérisoires : il ne saura rien sur le devenir de son ultime requête.

Mais qui est Corine ?

Elle demeure à Lyon. Je suis la seule à en avoir entendu parler. Mon frère avait jeté son dévolu sur cette jeune femme qui faisait un audit dans la société où il travaillait. Il ne savait pas comment l'aborder et il utilisait l'écrit dans l'espoir de l'approcher… Elle croulait sous les lettres prolixes de mon frère. Elle n'y répondait pas. Il en était désespéré, mais il ne lâchait pas l'affaire malgré mes mises en garde. Je remarquais bien que Corine n'éprouvait pas de sentiments réciproques.

Après avoir joué avec une pièce à pile ou face, Éric est parti à Lyon pour la rencontrer dans la ville où elle demeurait. Tel un joueur de poker, il a tout misé sur elle. Il a fait tapis en toquant à sa porte.

Corine lui a ouvert.

Éric était là, devant l'entrée.

Puis devant elle, il a sorti un pistolet et s'est tiré une balle dans la tête !

C'est ainsi que les faits nous ont été relatés quand nous avons appelé l'hôpital où il se trouvait.

Malgré mon abattement, je ne peux m'empêcher de penser au traumatisme vécu par Corine. Par la suite, je trouverai ce spectacle de feu et de sang orchestré par mon frère « dégueulasse ». Cette jeune femme ne pourra jamais effacer de sa mémoire cette scène sordide.

À l'hôtel où nous sommes descendus, nous sommes assis, tous les quatre, dans des fauteuils. Nous parlons peu, mais très vite la discussion s'enchaîne sur Corine. Mon père et ma sœur la tiennent pour responsable du suicide de mon frère. Je m'insurge ! Je clame que personne n'a le droit de se tuer devant une autre et lui en faire porter la responsabilité.

La dernière volonté de mon frère est claire : « aider Corine. »

Dans une heure, Corine doit venir nous rejoindre à l'hôtel. Mon père s'éclipse dans sa chambre, il ne tient pas à la rencontrer. Je souhaite que cet entretien se passe dans la plus grande douceur. Corine doit en toute impunité plaider : « non coupable ». Respecter l'ultime vœu d'Éric devient pour moi un défi à honorer !

Margot est emportée par une fureur dévastatrice. Je lui propose alors de ne pas assister à cette rencontre. Elle va sûrement jeter de l'huile sur le feu et la conversation risque de se poursuivre en pugilat. Corine deviendrait alors l'exutoire de Margot ! Je tente de la convaincre de se retirer dans sa chambre. Elle ne m'entend pas et de rage s'échappe de l'hôtel. Je n'ai ni la force ni l'envie de lui courir après.

J'attends Corine.

Elle arrive, s'assoit et s'effondre en larmes. Je la réconforte et je la déresponsabilise comme je peux. C'est à ce moment-là qu'elle expose à François et moi la scène du carnage :

« J'ai entendu frapper à la porte. Je suis allée ouvrir. Surprise, j'ai vu votre frère sur le palier. Je ne comprenais pas bien pourquoi il était là, sachant qu'il vit à Bordeaux. J'ai même eu une petite appréhension. J'avais tellement reçu d'écrits de sa part que j'en étais fortement gênée. Je n'y répondais pas, bien sûr. Nous nous étions rencontrés dans l'entreprise où il effectuait une mission de manutentionnaire et j'étais présente pour un audit sur la société. Nous n'avons jamais eu beaucoup l'occasion de nous croiser et d'entamer une véritable conversation, mais je ne sais pas… il avait pris l'habitude de m'écrire des pages et des pages sur sa vision du monde, plutôt noire d'ailleurs, tout en me prenant à témoin. À cela, il rajoutait des déclarations passionnées à mon encontre. J'ai tout donné à la police. »

« Oui, oui, nous savons. Un policier nous a rendu ses écrits. »

Un lourd silence plane au-dessus de nos têtes. Corine a du mal à poursuivre, ses mots restent coincés dans sa gorge. Des larmes perlent à ses yeux. Fébrilement, elle pétrit ses mains tant son émotion est à son comble. Je ne sais pas si je dois l'inciter à poursuivre. J'attends. Après une profonde inspiration, elle reprend.

Quand je l'ai aperçu, il tenait sous un bras une chemise cartonnée et l'autre main était cachée derrière son dos. Les yeux fixés sur moi, il me dévisageait comme s'il ne m'avait jamais vue. Nerveusement, il a marmonné un « Bonjour ». Puis, son regard noir est devenu vide. J'étais figée, je n'attendais rien, mais j'étais gagnée par une peur irraisonnée. Éric ne bougeait pas et l'impassibilité de son visage rendait la situation malaisée. Soudain, d'un geste brusque, il a sorti sa main de derrière son dos. Au bout de ses doigts est apparu le canon d'un pistolet ! Il a pointé l'arme sur moi. Je commençais à paniquer, j'avais une envie irrépressible de prendre la fuite, mais d'un mouvement de tête, il m'a intimé de ne pas bouger. J'étais complètement effrayée : c'est fini, je me disais… tu vas mourir. Cependant, j'ai remarqué qu'il n'y avait qu'une seule balle dans le barillet et je ne sais pas pourquoi, mais cela m'a soulagée un temps. Les secondes qui s'écoulaient me parurent être une éternité : j'avais toujours l'arme pointée sur moi. Sans un mot et avec beaucoup de calme, il a détourné le pistolet de moi et l'a apposé contre sa tempe. Il a fermé les yeux et tiré. Il s'est écroulé au sol. J'étais tétanisée par le bruit mat du coup de feu. Autour de lui, une mare de sang s'étendait lentement. Puis, j'ai couru chez tous les voisins pour demander de l'aide : personne ! Dans la panique, j'ai appelé l'ascenseur… pour rien… je ne suis pas montée dedans. Je suis retournée chez moi pour appeler les pompiers. Je ne voulais plus voir ce corps étendu alors je me suis calfeutrée dans mon appartement en répétant : « Mais pourquoi a-t-il fait ça ? Pourquoi devant moi ? Qu'est-ce que je lui ai fait ? On se connaissait à peine ! Pourquoi ne m'a-t-il rien dit ? Pourquoi ce silence aussi déterminé ? »

François et moi, nous sentons Corine accablée par toutes ses questions sans réponse.

« Corine, dis-je doucement, vous n'êtes pas responsable de son acte. Un suicide c'est tragiquement personnel. Il vous a utilisée pour trouver en lui la force de mettre fin à ses jours. Je sais que c'est un traumatisme pour vous, mais sachez qu'Éric a demandé par écrit à ce qu'on vous aide dans cette épreuve : il avait conscience que vous alliez en souffrir. Il était tourmenté par des pensées morbides. Il a eu une enfance très douloureuse et notamment, il était peu considéré par son père. Éric traînait en lui une colère destructrice. Je crois qu'il ne s'aimait pas… Pour lui, disparaître était une évidence : souffrir lui était devenu intolérable ! C'est ainsi que je l'explique. Vous n'auriez rien pu faire pour lui. Désolée.

Merci, répond amèrement Corine. »

Tout de même, elle libère un soupir de soulagement. Je devine qu'elle se sent plus légère : des mots déculpabilisants ont été mis sur cette scène lugubre.

Je poursuis mon allocution pour appuyer mon propos.

Si quelqu'un avait pu le sortir de sa descente aux enfers, cela aurait dû être sa famille. François et moi, nous n'étions pas dupes de son état psychique, mais tout ce qu'on lui proposait pour sortir de sa léthargie macabre, il le refusait. Notre appui est arrivé trop tard.

Après avoir encaissé le discours de Corine, je me suis sentie très lasse et exténuée. Alors, j'ai mis un terme à notre conversation en proposant d'échanger nos coordonnées. Je souhaite que Corine puisse m'appeler si un besoin s'en fait ressentir. Elle me téléphonera une fois pour avoir mon soutien : mon père aura l'indécence de l'appeler pour l'accuser du suicide d'Éric. Pauvre Corine, elle était déjà bien brisée…

Tout en plongeant mon regard dans ses yeux verts, je l'enlace gentiment. Puis, François la reconduit vers la sortie de l'hôtel.

François n'est pas intervenu dans ce douloureux dialogue avec Corine. Il est là : son personnage rassurant suffit pour que je me sente soutenue par une présence indéfectible et solide.

Cependant, il remarque ma fatigue et me propose d'aller me reposer dans la chambre de l'hôtel. Il pense au bébé. Moi, je suis un bloc de chagrin, un gros nuage empli de flotte et je ne vois pas le bel arc-en-ciel dans mon ventre. J'oublie.

Pendant que je me repose, mon courageux mari entreprend de parcourir Lyon pour retrouver ma sœur dont nous n'avions plus de nouvelles depuis son départ précipité. La recherche est infructueuse…

Quelques heures plus tard, je reçois un coup de fil de l'hôpital de Lyon. Au téléphone, j'entends le patronyme de ma sœur, soins intensifs, tentative de suicide et qu'il faut que je vienne rapidement !

Je suis envahie par une angoisse mêlée à un sentiment de colère irrépressible. Je préviens mon père. Ce dernier s'inquiète mollement de l'état de santé de sa fille aînée. Il se désintéresse tout autant de la suite à venir et prend un vol pour Bordeaux. Il nous laisse, François et moi, gérer la situation. Pauvre type !

Mon exaspération grandit et se mêle à mon affliction. Je ne suis plus qu'une boule d'émotions colériques, de ressentiments et de désespoirs. Je pose mes pas dans ceux de François : je suis bien incapable de prendre en main les secondes à vivre et à venir. Dépossédée de tout raisonnement sensé, je deviens une poupée de chiffon.

Après avoir arpenté différents couloirs du grand hôpital de Lyon, nous trouvons enfin ma sœur. Une infirmière nous éclaire sur l'état de santé de Margot. Elle a ingurgité une bonne dose de médicaments, mais non létale.

Dans l'instant qui a suivi sa prise médicamenteuse, elle était en communication avec un ami. Ce dernier a appelé les pompiers. Elle a été retrouvée inconsciente dans une cabine téléphonique. En arrivant à l'hôpital, une infirmière nous rassure : elle est sortie d'affaire ! Elle a eu droit à un lavage d'estomac.

François et moi, nous allons à son chevet. Aux bords de nos lèvres, se forme une écume d'amertume : nous lui en voulons, c'est indéniable !

Allongée sur un lit blanc, ses yeux sont vitreux et sa bouche est noircie et desséchée. Elle dégage une odeur nauséabonde dès qu'elle profère un mot. J'ai peine à suivre son élocution. Cependant, je discerne dans son monologue murmuré qu'elle réclame notre père.

« Où est papa ?

— Il est parti.

— Où ?

— À Bordeaux, il est rentré. »

*Maman*, comment dire à Margot que papa est reparti à Bordeaux et qu'il ne s'est pas préoccupé de sa fille. La vérité est pourtant là !

Après mes réponses, Margot tourne la tête vers la fenêtre de la chambre et son regard se perd dans le feuillage d'un arbre. Elle ne nous adresse plus un mot ; nous quittons la chambre.

Elle est ramenée en ambulance jusqu'à Bordeaux.

Il est temps, *maman*, que je te parle de Margot : ce premier enfant que tu as eu tant de mal à avoir.

J'ai l'immense tristesse de t'informer de l'absence d'affection entre nous deux. Une des phrases de ma sœur a indiqué la force de son détachement envers moi. *Maman*, là, j'ai pris une claque !

Margot a prononcé ces mots : « Fabiola, c'est ma sœur, c'est normal que je l'aime. » Puis, elle rajoute : « Notre vécu commun est de dix années seulement. » Si je traduis ses propos, la faible fréquence de nos rencontres serait à l'origine de son détachement envers sa petite sœur… À l'évidence, *maman*, Margot a une sœur dont elle ne peut pas se soustraire uniquement à cause de nos liens de sang ! Depuis ces allégations, j'ai le sentiment d'être un individu creux sans passé commun avec elle. Pour ma part, j'ai des souvenirs et un attachement envers elle. Margot, elle, a tout biffé !

De notre prime enfance, nous avons convenu un jour que nos réminiscences enfantines étaient pauvres, voire inexistantes. Ce néant mémoriel sur nos jeunes années aurait pu être débattu, à l'ombre d'un chêne, sous un ciel d'été. Il n'en fut rien !

Qui sait si une loquacité plus appuyée n'aurait pas comblé ces trous de mémoire ? Nous aurions pu même réinventer notre passé à nous deux. De belles choses auraient pu naître. Nos joies auraient pu se confondre dans des rires tonitruants comme quand nous étions petites et ensemble. Le déclin de notre mémoire a été amené par une démoniaque intempérie : ta maladie, *maman*.

Déjà, là, nous avons été séparées. Puis, ton décès, au lieu de nous rapprocher, nous a violemment arrachées l'une à l'autre. D'une chambre que nous partagions, nous avons été parachutées à huit cents kilomètres l'une de l'autre. Nous n'existions plus dans nos quotidiens.

Après les multiples péripéties dues à notre père, une profonde et implacable distance s'est imposée à nous. Comprends-tu, *maman* ?

Je ne connais pas la souffrance de Margot sur ta perte. Nous n'avons jamais vraiment abordé le sujet. Ce dont je suis sûre, c'est qu'elle aussi a souffert. Elle était une jeune adolescente quand tu as disparu : comment l'a-t-elle vécu ? Je n'en sais fichtre rien. Pourtant, cela m'aurait peut-être aidée à mieux comprendre ses choix de vie lorsqu'elle se promenait dans le monde des adultes.

Cependant, je me souviens de l'adoration que je lui portais. Mon aînée de six ans, sa beauté et son assurance face à la vie me remplissaient d'admiration. Cet éloignement de plusieurs années renforçait encore plus ce sentiment de toute-puissance dont je la parais. Elle était jeune et allait devenir maman. Du haut de mes seize ans, je voyais sa vie comme un joli conte de fée. Je me suis trompée.

*Maman*, la vie de ta fille aînée a sombré dans un chaos affectif. Sa mère fatalement absente, son père égocentrique et ses déboires amoureux ont causé des dégâts émotionnels graves. Margot n'a jamais cessé de souffrir. De fait, sa colère a fait voler en éclats tout ce qui l'entoure. Je crois deviner, *maman*, qu'elle n'arrive pas à mener une vie ordinaire.

De ce que j'entraperçois de la vie de ma grande sœur, j'en suis profondément attristée et atterrée : violences sur son enfant, violences sur son conjoint. *Maman*, elle ne sait plus répondre avec amour, seulement avec acerbité voire haine ! Bien que je n'aie pas à la juger, je n'ai jamais supporté ces agressions mordantes.

Ne trouves-tu pas, *maman*, que le pont entre l'amour et la haine est étroit ? Il m'est arrivé de l'emprunter : cette haine, je la retournais contre moi. Je me sabotais.

Je n'ai, malheureusement, jamais vu la fureur quitter Margot. De sa bouche, aucun mot apaisé et apaisant ne sortait. De ses beaux yeux marron perçait un regard dur. Son sourire, si on avait pu l'extraire de ce visage fermé, il aurait été d'une grande beauté. Elle rit peu. Quelques fous rires peut-être ? Ses bras n'entourent pas : il semble que le contact physique avec autrui lui soit insupportable.

J'aurais tant aimé pouvoir compter sur sa présence et son affection : avoir une sœur aimante et que j'aime. Malheureusement, mes sentiments virent en dépit…

De plus, elle m'accuse de bien des maux. Les décrire serait contre-productif à ma ligne de conduite : je préfère oublier ma sœur. Je dépose les armes. J'abdique. J'ai perdu un frère et une sœur.

C'est indéniable, violent et pathétique…

J'en suis profondément peinée, tant j'aime être entourée d'une famille.

Un courriel vipérin de ma sœur fut le coup de grâce !

Il fallait rompre, et vite, cet enchaînement de conciliabules malveillants. Jalousie, colère, haine, rancœur sont venues remplir l'espace du cœur de ma sœur, cette sœur que j'ai tant adulée.

Comment lui en vouloir ? Pourquoi lui en vouloir ?

C'est ta fille, *maman* : je n'ai pas envie de la gâcher. Je ne souhaite pas aller plus loin dans mes ressentiments : ils peuvent rester silencieux…

Peut-être Margot chemine-t-elle encore sur des sentiers torturés, arpente-t-elle des monts inatteignables, croule-t-elle sous des émotions colériques et destructrices pour elle et son entourage ?

Peut-être.

Peut-être a-t-elle trouvé la paix en elle, roucoule-t-elle avec un amoureux, écarquille-t-elle, enfin, les yeux face à la beauté d'une rose ?

Peut-être.

Depuis quelques années, mon cœur ne bondit plus à son prénom. Cela fait, maintenant, sept ans que le silence s'est installé entre nous. J'aurais tant aimé que cette relation avortée avec ma grande sœur n'existe jamais. Nous avons beaucoup souffert toutes les deux et nous n'avons pas pu, pas su dépasser ces évènements tragiques sans nous déchirer. Dommage, le soutien mutuel nous aurait réconfortées et rassérénées, je pense…

Cependant, une forme de quiétude s'est installée et un répit bienfaisant s'est offert à moi. Margot « d'aujourd'hui » devient virtuelle : je n'ai plus de sœur, elle appartient au passé.

Je suis désolée, *maman…*

Je conçois la tristesse d'une maman qui observe l'absence de relation affective entre ses deux enfants. Tu auras été épargnée de cela aussi.

L'ambulance a quitté Lyon pour Bordeaux, emportant ma sœur.

François et moi voulons, vite, rentrer.

Petit à petit, je m'affaisse sous cette avalanche de malaises. Mais il faut tenir, je porte un bébé ! Arrivés à la maison, nous devons trier les affaires d'Éric : je n'en ai pas le courage, je ne fais rien.

Plus tard, je vois François revenir du fond du jardin le visage ruisselant de larmes. Je l'interroge. Il a jeté dans la poubelle les vêtements couverts de sang de mon frère. Je le remercie de m'avoir préservée de cette tâche funeste. Je m'accroche désespérément à sa bienveillance et à l'amour qu'il me porte.

Peu de monde se retrouve à l'enterrement. Mon père a réussi à négocier avec le curé pour qu'il ouvre à un suicidé les portes de son église. Tata est là ! Elle n'a de cesse de m'imposer les coutumes liées à cette cérémonie religieuse. J'ai envie qu'elle me laisse tranquille dans mon chagrin. Je veux avoir les bras ballants, les pieds cloués au sol et ne plus bouger. Pourtant, elle va me pincer le bras et me traîner ici et là pour que j'accueille les gens et que je m'occupe des fleurs. Elle me serinera au creux de l'oreille :

« C'est ton devoir ! »

FOUTEZ-MOI LA PAIX !

Laissez-moi errer dans l'abysse de mon désespoir, je suis à moitié morte. Mon cœur ne bat plus que d'un côté. Je préjuge que je vais étrenner mes journées avec un soleil qui ne brillera plus jamais comme avant.

*Maman*, Éric a décidé de s'envoler vers un pays qui n'existe pas. Il a préféré l'abîme, le néant, l'inconnu, le « rien » à l'étoile de notre planète.

Vivre était trop douloureux pour lui !

*Maman*, je ne me vois plus harponner ces futures journées sans lui, sans ma racine, sans mon frère que j'aime tant. Je suis perdue.

*Maman*, la seule pensée qui atténue ma détresse c'est de me dire qu'Éric t'a rejointe. Il sera bien, là-haut, avec toi. Pourtant, je ne crois ni en Dieu ni à la vie après la mort. J'ai uniquement besoin d'affaiblir ce malheur et de me raccrocher à une idée, même utopique.

Pendant les mois qui suivront ce drame, je demeurerai saisie par l'horreur de ce geste fatal. Je ne penserai qu'à cela. Je me torturerai pour élaborer des plans qui auraient pu le sauver. Je flagellerai mon âme de ne pas l'avoir compris. Enfin, je ressasserai les instants où j'aurai pu le soutenir et où par manque de temps, d'envie, de force, je n'ai rien fait…

Alors que j'ai l'impression de succomber à ce remue-ménage mental, soudain, je perçois à nouveau une présence en moi ! Je ressens le besoin vital de me tourner vers mon bébé. Mon instinct de survie prend le dessus. Par de furtifs mouvements dans mon ventre, ce petit bout de lumière me rappelle à l'ordre : je suis là, *maman*… Vis !

Pour éviter un amalgame malsain à notre futur enfant, nous décidons de changer de prénom.

Si c'est un garçon, il ne s'appellera pas Éric.

C'est d'une bien triste évidence…

## Vie de famille

*Maman*, quand tu m'attendais, avais-tu des nausées ? Habitée par mon futur bébé, j'aimerais te confier mes sensations et connaître ton vécu quand moi-même flottais dans ton ventre. J'ai bien une photo où tu donnes le biberon à mon frère : déjà, je poussais en toi. Cette image m'émeut profondément : je démarrais ma vie…

Pendant la nuit, ce petit bout s'étire et il visite mon utérus. En journée, mon activité physique le berce : il dort. Avec mes doigts, j'aime titiller les petits os de sa main repliée qui se dessinent à travers la peau de mon ventre. Il remue et m'affirme sa présence ! Je ressens un bien-être incommensurable.

Pourtant, la plupart du temps, je suis mélancolique. Je n'arrive pas à « encaisser » le violent départ de mon frère et cela joue sur mes humeurs. Je deviens irascible : je ne sais plus accepter ce qui m'agace et je me mets dans des colères déplacées. D'autres fois, je suis avachie sur le canapé et je lâche un flot de larmes. Je ne sais pas ce que je lègue à cet être ondulant dans mon liquide amniotique, mais ce n'est certainement pas sérénité et apaisement. Cependant, il est là : cela me tranquillise un peu pour poursuivre ma route. D'un côté, un être cher s'ôte la vie et de l'autre un petit humain vit en moi… Mes ressentis oscillent entre ces deux pôles antagonistes : la mort et la vie !

En fin de grossesse, mais pas encore à terme, je fais défiler un film aberrant : je suis terrifiée à l'idée que mon bébé se dessèche dans mon ventre et meurt.

Il doit naître dans peu de temps, mais rien ne vient… Persuadée qu'il faut qu'il sorte, une angoisse me tenaille : je supplie François de m'amener à la maternité. Après quelques examens d'usage, on me prie de bien vouloir rentrer chez moi : le bébé n'est pas encore prêt pour respirer de l'oxygène ! Quelques jours plus tard, je réitère ma comédie. À deux jours du terme, cette fois-ci, on me garde à l'hôpital. Je suis très perturbée, alors les soignants vont provoquer l'accouchement. J'ai grand appétit à rencontrer mon bébé, à le sentir et à le toucher. Cette future naissance sonne comme une reviviscence après une morbidité indigeste.

Sous perfusion, on m'injecte un produit pour provoquer les contractions, mais le col de l'utérus ne s'ouvre pas assez. Je passe des heures à souffrir dans ma chair.

Un docteur entre dans la pièce. Après un toucher vaginal, il décrète avec le sourire que le bébé est prêt à venir au monde. Enfin, je vais pouvoir l'accueillir. Un soulagement mêlé à une touche d'appréhension me gagne. Vite, je passe à la salle d'accouchement. Un défilé de blouses blanches s'impose autour de mon lit. Des instruments chirurgicaux sont manipulés bruyamment. Je suis impressionnée ! François est là : il me tient la main et me caresse tendrement la tête. J'ai mal tout en étant surexcitée par cet évènement imminent. La péridurale m'est proposée : j'accepte ! C'est donc sans douleur que je pousse, inspire et souffle. Quelques minutes après, je sens le bébé descendre le long de mes parois. Soudain, je ressens un grand vide dans mon ventre : mon enfant est sorti ! C'est un garçon. J'entends ses cris. On dépose cet être parfait sur ma poitrine. Je le regarde, je le trouve immense et beau. Une joie indescriptible m'inonde. C'est impossible que j'aie pu fabriquer ce bijou : je suis subjuguée !

*Maman*, ton petit-fils est magnifique.

Comme toujours, je gâche ! Brutalement, mes épaules s'affaissent. Je ressens l'immense implication que va me demander ce petit être dont je deviens responsable des pieds à la tête. J'ai la trouille comme jamais : ma joie est entachée par ce sentiment frileux.

*Maman*, j'ai peur.

Il va falloir que j'apprenne à le connaître. Il faudra que je comprenne ses signes : pleurs, sourires, fatigue… pour répondre au mieux à ses besoins. Je ne veux que son bonheur. Par-dessus tout, je souhaite qu'il ne souffre jamais. De fait, les ressentis de mon fils deviendront tout au long de ma vie ma préoccupation première.

Ce beau poupon à la peau laiteuse et légèrement rosée s'appelle Fabrice. Il est là, *maman*, à côté de moi dans la couveuse. J'aimerais tant te le montrer : il a la peau lisse et les traits fins. J'en suis très fière : c'est moi qui l'ai fait !

Là, tu vas me manquer, *maman*. Comment s'occuper d'un bébé sans impairs ? Comment comprendre un langage de bambin ? Au secours, je suis paumée !

Notre fils pleure beaucoup. Avec son papa, nous nous évertuons à dénicher trucs et astuces pour ne plus voir ses larmes couler. Elles nous blessent parce que nous ne savons pas comment en stopper le flot incessant. Il pleure le jour et la nuit. Avec le recul, je pense avoir déchiffré ses pleurs : je n'arrivais pas à fermer doucement la porte sur la perte de mon frère.

Quand je prends mon enfant dans les bras, je suis imprégnée de doutes. Comment puis-je prétendre lui apporter de la quiétude ? Désespérée de ne pas arriver à le consoler, je le repose dans son berceau, puis je vais inonder de sanglots mon oreiller afin d'évacuer mon dépit et ma honte. Lorsque le soir, François rentre du travail, il trouve, chacun dans sa chambre et en pleurs, son fils et sa femme…

*Maman*, lors de ces moments d'incertitudes où mon désarroi règne en maître, j'aimerais ton soutien, ta patience et ta douceur légendaire pour m'ajuster aux besoins de mon fils, Fabrice. Peut-être m'aurais-tu aidée à démêler cette émotion enchevêtrée de craintes, d'exaspération et d'amour fusionnel ?

Soutenue par un mari et un père exemplaire, je peux aussi compter sur les appuis de mon amie Dany et sur la maman de François. Un jour, en compagnie de Dany, Fabrice ne cesse de pleurer. Je suis déroutée. Je n'arrive pas à le réconforter et une vague d'exaspération monte. Je ne peux pas avoir de discussion tranquille avec mon amie : les cris de mon bébé nous en empêchent. Je bous. C'est alors que Dany déclare : « Tu as envie de le jeter par la fenêtre ! C'est normal, il ne faut pas en avoir honte. Par contre, tu ne le fais pas… » Elle finit sa tirade par un grand sourire compatissant : elle sait. Une paix embrase mon cœur : je ne m'autorisais pas à avoir un quelconque sentiment négatif envers mon enfant. Grâce à Dany, je peux regarder en face ces pulsions ignobles dans la mesure où elles restent dans ma tête et n'aboutissent pas en actes tragiques.

Un jour, mon fils formule son premier « Maman ».

Émerveillée, je demeure ébahie face à cette expression empreinte d'amour. « Maman », je le prononce uniquement en silence puisqu'il ne m'est plus autorisé en société. Là, il est adressé à moi, Fabiola…

Plus tard, ce « Maman » se détache sur un bout de papier… Je dévore la calligraphie malhabile de mon fils et détache chaque lettre pour en savourer le dessin. Je me remplis de ces « Maman » pour combler mon vide affectif : j'ai eu si peu de temps pour t'appeler ou te nommer, *maman*. Quand je l'écris à l'intention de mes enfants, c'est l'extase ! Il n'est plus adressé à un fantôme, mais à des personnes pétillantes de vie. Pendant quatre années, j'élève mon enfant en suivant certains conseils, mais c'est surtout mon instinct qui a la primauté sur ma manière d'agir envers mon fils. Je me sens tout de même bien seule face à mes tourments concernant le bien-fondé de mon éducation.

*Maman*, Fabrice ne fait pas que larmoyer.

Il chante souvent et rit à gorge déployée. Il aime écouter les histoires : je ne me lasse jamais de lui conter des fables. Je prends autant de plaisir que lui à m'allonger sur le sol pour jouer à des mises en scènes de combats entre dinosaures. Il a une grande aptitude pour le dessin. Il a un beau coup de crayon et ses œuvres font l'unanimité tant elles sont criantes de vérité. Ses esquisses de monstres ont une spectaculaire conformité réaliste.

Notre couple subit quelques tourments. La venue d'un enfant, s'il unit dans une tendresse commune portée à un petit être, peut aussi diviser les protagonistes dans la manière de répondre à des problématiques de vie à trois. Le couple, alors, s'efface et l'entité amoureuse se transforme en deux individus qui réagissent avec leur sensibilité : le désaccord naît ! *Maman*, je suis déterminée à créer une famille, une vraie et non une « pourrie » comme la mienne. Comme nous étions dans notre fratrie, je souhaite trois enfants. Je cherche à réparer ce que j'ai vécu pour vivre dans un cocon familial « propre » : j'en ai un réel besoin. C'est un exutoire pour mettre de l'onguent sur toutes ces blessures. Dès lors, je serai en quête de la famille parfaite ! Je désire que ma famille devienne un conte merveilleux : je fais tout pour. Puis, j'enchaîne sur la venue d'un autre enfant. J'ai trente ans.

*Maman*, j'ai accouché d'une magnifique petite fille !

Elle se prénomme Amandine. Comme toi, elle a les yeux couleur chocolat. Elle est reçue comme une princesse. Libérée de mes entraves macabres, je l'accueille paisiblement. Les quatre années passées avec mon fils m'ont permis d'évacuer le stress postromantique suite au décès de leur oncle. J'ai pu prendre une grande goulée d'oxygène grâce à ma vie quotidienne auprès de mon petit garçon.

Je suis joyeuse et l'aventure avec un nourrisson ne m'est plus inconnue. Je suis comblée, j'ai un garçon et une fille : le choix du roi !

Cependant, je me sens gauche avec ma petite. Cet embarras me poursuivra tout au long de ma vie avec elle. Sais-tu pourquoi *maman* ?

La réponse est simple : je n'ai pas vécu de relation mère-fille avec toi. Presque rien… Je ne sais pas ce qui est convenable ou pas de faire avec sa fille. Je n'ai aucun repère personnel. Je n'ai pas eu beaucoup de temps pour t'idolâtrer petite fille, je n'ai pas pu t'agacer à l'adolescence avec une bonne crise. Je ne sais pas plus si j'aurais été ta complice ou ton ennemie, adulte. C'est le néant !

Amandine est une enfant adorable, rieuse et sereine. Lorsqu'elle est une jolie adolescente, je suis complètement perdue et j'éprouve des sentiments contradictoires. Je prends, alors, très mal son attitude et je me sens rejetée avec force. Je crains tellement que cette relation conflictuelle dure toute notre vie. Effectivement, je ne sais rien de ce que ressent une adolescente face à sa mère. Je ne peux pas imaginer qu'avec le temps notre rapport puisse évoluer : je ne le ressens pas. Je vis au jour le jour les mutations de ma fille sans rien y comprendre. Je les reçois en pleine gueule !

*Maman*, je suis larguée.

Heureusement, je ne suis pas totalement isolée et je suis, parfois, aiguillée. J'entame aussi des recherches et j'avale des bouquins théoriques sur la relation mère-fille. Je tente de faire au mieux…

Maintenant, j'ai deux bambins, ils grandissent gentiment et comme je suis apaisée par leur papa, je trotte sur ce chemin familial tout tracé. Comme sur beaucoup de chemins, des cailloux isolés sont là pour entraver vos pas…

*Maman*, j'ai des soucis avec mes enfants. J'ai trente-trois ans.

Fabrice reste un enfant complexe et nous inquiète à l'école par son comportement atypique. Il est mal compris. Il a d'excellentes notes, mais son attitude dérange. Pendant la récréation, en solitaire, il passe son temps à dessiner ou à jouer aux dinosaures. Son papa et moi, nous mettons tout en œuvre pour le sortir du monde dans lequel il s'évade bien trop souvent. Il pratiquera un sport collectif, le handball. Sur ce coup-là, nous avons bien géré : Fabrice va adhérer au club et il commencera à avoir une vie sociale épanouie.

Quant à ma petite princesse, à deux ans et demi elle commence à souffrir d'une maladie incurable : l'arthrite chronique juvénile. C'est une affection entraînant un rhumatisme. Elle se manifeste par un gonflement des articulations et l'apparition de douleurs. Ma petite fille souffre : c'est intolérable ! Par ailleurs, l'inflammation des tendons empêche les muscles qui protègent l'articulation de travailler suffisamment. Ce qui les affaiblit et diminue leur volume. Amandine aura une atrophie musculaire de la jambe gauche. Son papa est désespéré face à cette injustice qui touche notre fille. Dès lors, il fixe toute son énergie et toute son attention sur la pathologie d'Amandine. Quant à moi, j'ai peu de place dans les prises de décisions sur son état de santé. J'endure mal cette position. Dans cette affaire, je suis renvoyée à un état d'inutilité : mon avis compte peu. Mais ce qui me crève le cœur, c'est mon impuissance à soulager la souffrance de ma petite fille : je me sens doublement inutile !

Toi aussi, *maman*, tu avais des enfants différents avec chacun leurs particularités.

Comment faisais-tu ? Dis-moi pourquoi Éric n'a jamais bénéficié d'un suivi ? Enfin, *maman*, il se tapait la tête contre l'oreiller pour s'endormir. Il parlait aux arbres pendant des heures. Tout cela, ne t'a-t-il pas inquiétée ? J'ai du mal à te comprendre. *Maman*, les enfants grandissent trop vite, je n'ai pas le temps de vivre un âge qu'ils ont déjà passé une étape. Du nourrisson à l'enfant prêt à aller au collège, je n'ai rien vu et bientôt, ils vont me claquer au nez la porte de leur chambre ! Voilà que l'étreinte à la sortie de l'école se transforme en un petit baiser du bout des lèvres sur ma joue. Ils ont dix et six ans et déjà, je cherche à me souvenir de l'époque où ils étaient bébés et tout à moi.

Fabrice a encore perdu ses lunettes. Je crois bien, *maman*, que moi aussi, je les égarais, non ?

De toute façon, tu ne me réponds jamais ! Comme toujours, je continuerai mon soliloque.

*Maman*, je ne voulais pas ça : je l'ai fait quand même. Je demande le divorce à François !

J'ai un mari d'exception, deux beaux-enfants, une maison à la campagne et un travail qui me plaît.

Et pourtant, j'annonce à mon mari que je le quitte. Je brise une famille. Je sépare nos enfants de leurs parents : une semaine chez l'un, une semaine chez l'autre. Je rends malheureux un homme qui a toujours été bienveillant avec moi. De plus, je perds une relation très affectueuse avec mes beaux-parents.

*Maman*, tu m'aurais peut-être sermonnée.

Tata ne se gêne pas pour le faire. C'est par vocables meurtriers jetés en pleine figure qu'elle critique ma prise de décision. Elle me traite comme une gamine sans cervelle : j'ai trente-sept ans ! Elle me crie cette phrase absurde : « As-tu pensé aux enfants ? » Que lui répondre, tant c'est grotesque ? Cependant, elle crache son amertume sans me laisser en placer une ! Je me suis tellement épuisée à me justifier dans cette affaire auprès des autres et de moi-même que je la laisse vomir ses mots…

Cela fait des mois, voire plusieurs années, que je mûris cette rupture qui, avec le temps, devient de plus en plus évidente et fondamentale pour moi. Dans un premier temps, j'opte pour une vie de famille soudée, mais bancale. En effet, je deviens de plus en plus défaillante dans mes relations quotidiennes avec ma famille : je rêvasse et m'engouffre dans une bulle. Souvent, Amandine me passe la main devant les yeux afin de me sortir de pensées dans lesquelles je me suis réfugiée et où mes petits n'existent pas. Je poursuis dans la résignation jusqu'à que je devienne un personnage fantomatique. Je ne suis plus réellement moi, mais un personnage qu'on attend que je sois, du fabriqué : épouse et mère… Cette vie toute tracée m'angoisse profondément.

Personne n'est responsable de ma désaffection ! Je trouve François, mon mari, admirable, mais je n'ai pas assez d'amour pour mettre en valeur cet être extraordinaire : l'amour n'est pas réaliste. Je m'éloigne de lui, doucement, mais avec une certaine assurance. Je pressens qu'il faut que je me libère de mes chaînes maritales. Mon ménage ne s'est pas détérioré au fil du temps, c'est mon évolution personnelle qui a créé la rupture.

Avec François, nos discussions nocturnes sur la réalité de notre couple se terminaient toujours par un constat stérile. L'approche de François quant à une éventuelle conciliation entre nous était timide : sa peine et son défaitisme ne l'amenaient pas à se battre pour nous deux. C'est ainsi. J'avais le verbe plus haut pour clamer qu'il était plus raisonnable de se séparer. J'étais plus déterminée pour une désunion que lui pour un accommodement, je pense.

Cependant, je reste prudente, je ne veux pas quitter mes enfants : le lien entre eux et moi est tellement puissant que le rompre me ferait mourir de chagrin.

Pourtant, un jour, j'ai su qu'il fallait aller jusqu'au bout. Je t'aurais sûrement appelé à l'aide, *maman*.

J'ai tellement espéré que tu divorces de papa pour t'épanouir.

Je te raconte mon expérience : c'est à l'occasion d'un petit-déjeuner avec les enfants. Encore une fois, je ne suis pas connectée avec eux. Amandine réitère son geste pour confondre mon regard parti dans le vague. Elle me demande : « Où es-tu, maman ? » À cet instant, je comprends que je ne peux plus me mentir. Je suis en train de bafouer le plus important : ma relation avec mes enfants. Lorsque je suis perchée sur mon petit nuage, je les oublie trop souvent. En effet, la résignation ne me convient pas : je deviens extrême dans le renoncement et je n'existe plus dans la vraie vie. Pour survivre, je m'expatrie dans un monde parallèle.

Mais il faut rester présent dans la réalité : il le faut ! C'est une révélation.

Alors je modifie la cellule familiale. Elle est éclatée géographiquement, mais la maison de François et la mienne se trouvent dans le même village. Après quelques grincements bien naturels de François, notre relation à tous les deux devient courtoise et amicale. Nous nous respectons et nous éprouvons toujours de la tendresse l'un pour l'autre. C'est un divorce sans brutalité ni aucune animosité. Les enfants peuvent allègrement naviguer entre les deux maisons. Cette séparation faite en douceur est tout de même une réussite !

Cependant, ma compagne préférée revient avec force : la culpabilité ! Elle me désagrège. Je ne supporte pas l'idée de causer du tort autour de moi. Pourtant, toute penaude, je ne peux qu'observer la souffrance que je cause à François et à mes petits. Ces derniers subissent cette nouvelle vie et encaissent les ruptures de nos habitudes à quatre. Je ferai tout pour panser cette souffrance que je leur ai causée en multipliant de petits moments spéciaux avec eux.

Je me sens tellement blâmable ! Coupable et affectée par mes tragédies passées, je sombre dans la dépression… Dès lors, j'ingurgite des antidépresseurs.

D'un côté, je suis soulagée qu'on ait mis un mot sur mon mal-être. D'un autre point de vue, je suis choquée que ce vocable « dépression » résonne avec ma personnalité plutôt dynamique. Cela ne fait rien, j'avale sans broncher des pilules !

Malgré tout, je n'ai pas le loisir de me laisser aller dans cet état dépressif. Je me suis promis d'être une maman qui compensera le mal qu'elle a fait à ses enfants. Je traite ma pathologie par-dessus la jambe et le médecin généraliste qui me suit en fait tout autant. Je sous-estime cette maladie comme on ignore un mal de tête incessant. Migraineuse, je continue à courir partout !

Ne pas me sentir concernée par cet état maladif me vaudra, plus tard, de graves dommages.

*Maman*, je n'ai pas eu tout ce courage pour démolir cette vie de famille sans aide. J'ai un treuil qui me hisse hors de moi : il neutralise, un temps, mes renoncements honteux. Il s'appelle : l'Amour.

## Un autre chemin

C'est avec détermination que je trace mes pas sur un nouveau chemin. Mais c'est, aussi, avec beaucoup de mélancolie que je m'écarte de celui sur lequel je peinais à mettre un pied devant l'autre. Ne pouvant décemment pas réunir ces deux trajectoires en une seule route, il a fallu choisir. Ce qui m'a poussée à prendre un chemin est un homme…

*Maman*, c'est simple et banal, je suis amoureuse de mon collègue de travail.

Cette prise de conscience a eu l'effet d'une bombe. En effet, je papotais avec mon amie Pascale et celle-ci me pose la question suivante : « Dis, n'aurais-tu pas quelqu'un qui te titille dans la tête en ce moment ? » À ces mots, le visage d'un homme me traverse l'esprit. J'en suis toute confondue et je ne peux plus effacer cette image qui dorénavant occupe mes pensées. C'est trop tard ! Cet homme s'aventure dans mon monde personnel : il n'en ressortira plus jamais.

Peut-être, *maman*, m'interrogerais-tu de la manière suivante : « Est-ce qu'une vision aussi soudaine d'un homme que tu connais seulement en milieu professionnel vaut le coup pour anéantir ta famille ? » Sans aucune hésitation, je te réponds : « Oui. »

Mon corps, mon cœur et mes pensées deviennent captifs de lui : je me réveille d'une longue hibernation... Désormais, je ne suis plus seulement résumée à l'état de mère et de femme mariée. *Maman*, quelques-uns diront que je suis une instable et que je ressemble à mon père (la pire des insultes que l'on puisse me cracher à la figure). Mais toi, il me semble bien avoir entendu que tu voulais divorcer avant même qu'Éric et moi ne naissions. Tu n'as pas pu mettre ton plan à exécution, papa menaçait de t'enlever ta fille. Tu as cédé et tu as poursuivi ta route sans être heureuse. Veux-tu cela pour moi ?

J'ai la chance de vivre une époque où divorcer est très commun. Cependant, traînent toujours des résidus de catholicisme qui entachent par leurs discours ce genre d'initiative. Ressentir de l'amour, jouir de la vie, être aimé sont proscrits dans notre culture catholique : il faut tout d'abord répondre à ses devoirs de mère et d'épouse. Avec beaucoup de difficultés, je tente de passer par-dessus ces leçons de morale. Malmenée par ces sermons, je fonce tout de même vers l'amour.

*Maman*, on ne maîtrise pas l'attirance entre deux êtres, lis plutôt !

Cela fait deux ans que nous nous côtoyons en professionnels : nous sommes tous deux analystes-programmeurs. Nous partageons, lors de pause, nos aventures familiales. Lui aussi, il a une petite fille qui a des soucis de santé : nous nous rapprochons... Nos rapports sont amicaux et nous rions pas mal à nos tentatives d'humour. C'est platonique et fort sympathique jusqu'au jour de la révélation. Dorénavant, mon regard se perd dans le sien et mon corps est tout fébrile. J'éprouve une puissante et réelle attirance pour cet homme. *Maman*, je te présente Thierry. Plus tard, il sera la seule et unique personne, *maman*, que j'amènerai sur ta tombe. Dès lors, je peux faire les présentations. Cela peut paraître ridicule, mais c'était important pour moi de créer une occasion de rencontre entre vous deux. J'avais envie que cet homme ait une image de toi même si cette dernière n'est qu'une pierre tombale… Je souhaitais, aussi, te montrer à quel point j'étais épanouie en sa compagnie. Ce rapprochement entre vous deux est bien entendu vain, mais il m'aura permis, encore une fois, de te donner vie un instant.

Avant même de développer notre idylle, je décide dans tous les cas de quitter le foyer familial. Je ne peux plus regarder ma famille dans les yeux alors que mon attention est fixée ailleurs. J'ai peur, car je n'ai pas beaucoup de ressources : il faut que je trouve une habitation dans laquelle loger mes enfants. De plus, je vais me retrouver seule avec mes petits à jouer à la fois le rôle du père et de la mère. Je ne vais pas bien le vivre. En effet, mon grand plaisir est de les distraire avec des jeux et de leur lire des histoires. Maintenant, il faut aussi que je sois autoritaire : je ne sais pas bien le faire…

*Maman*, dis-moi, qu'aurais-tu fait avec une vague émotionnelle qui t'emporte dans l'irrationnel ? Je te raconte.

Lors d'une soirée et pour la première fois, Thierry et moi, nous nous retrouvons à l'extérieur de notre monde du travail. Ce n'est pas rien et mes sens sont tous chamboulés. Il y a une trentaine de personnes, mais nous sommes quelques-uns, dehors, à former un petit groupe de discussion. C'est alors que je fais entrer en scène mon aptitude à provoquer des rires. Thierry est subjugué par mes réparties et moi, je charme sans calcul avec mes pitreries. De la musique arrive à nos oreilles et nous invite à danser. Nous voilà sur la piste. Je n'avais encore jamais touché Thierry sauf par poignée de main, le matin, au travail. Je déborde de sensualité et je n'ai qu'une envie, c'est de me fondre dans ses bras. Mais je me contente de frôlements délicieux qui suivent le rythme de la mélodie. Envisager plus serait mal venu : sa femme est là ! Soudain, Thierry me repousse et s'assoit dehors sur un banc. Notre danse est trop lascive. Sans dire au revoir, je récupère mon sac et me dirige vers ma voiture. Je dois rentrer, il le faut !

Postée devant mon véhicule, soudain, je sens une présence. Doucement, je me retourne : c'est Thierry ! D'un coup d'un seul, nos corps s'enlacent avidement. Un baiser fougueux nous embrase l'un et l'autre dans une harmonie surréaliste. Nous sommes dominés par l'intensité de cette étreinte. Pour l'un comme pour l'autre, cette puissance émotionnelle est à la fois authentique et chimérique.

Depuis dix-sept ans maintenant, nous entretenons ce souvenir et nous le gardons bien au chaud.

Après l'ardeur de ce baiser, je pars de suite, je m'enfuis : c'est trop !

Cette fusion ardente est le déclencheur pour entamer une rupture avec notre conjoint. Dès lors, il nous faut mener de front la séparation et jouir de l'embrasement qui nous étreint tous les deux. C'est donc dans un méli-mélo d'émotions, le soir, que je cours vers Thierry. Je prends la voiture et j'appuie énergiquement sur l'accélérateur pour que les quarante minutes de trajet qui nous séparent soient avalées au plus vite. Je souhaite disparaître dans ses bras et ne plus en sortir. Je désire ardemment partir à nouveau dans des conciliabules : on a tellement de choses à se raconter, à découvrir et à aimer. Je veux laisser nos peaux se chérir langoureusement. Je veux tout de lui. J'ai. Je suis comblée, *maman*.

Parfois, je suis escortée par une profonde tristesse… Je me sens démoniaque de faire ce que j'entreprends : je délaisse mari et enfants pour un homme que je vole à une autre famille. Je me sens blâmable sur tout. Tout en roulant vers mon amour, je pleure des larmes irrationnelles et ma mise en beauté se fane. J'arrive chez lui les yeux rougis, le cœur gros et le moral en berne. Je m'en veux déjà des merveilleux instants que je vais passer avec Thierry. Mais c'est sans compter sur ses prunelles bleu azur. L'intensité de son regard sur moi accélère les battements de mon cœur. Je n'ai plus peur : il est là. Nous sommes ensemble. Tout va bien. J'ai trente-sept ans avec l'âme d'une gamine de dix-huit ans folle amoureuse, mais je suis continuellement accaparée par une malice nihiliste. Je ne crois plus aux moments paradisiaques : cela fait longtemps que je ne me les autorise plus…

Regarde, *Maman*, la destruction dont je suis aussi capable.

À l'aube de l'automne, par une belle journée ensoleillée, Thierry et moi, nous déposons notre amour au milieu d'une forêt de pins qui longe l'océan. Le soleil danse à travers les branches et nous caresse. Le fond sonore du roulis des vagues, mélangé aux piaillements des oiseaux susurrent aux creux de nos oreilles. L'odeur de l'humus dégagée par le sol emplit notre odorat. L'homme que j'aime m'enveloppe de ses bras.

Tout y est ! Nous sommes silencieux, repus et heureux quand soudain, deux biches nous font l'honneur de leurs magnifiques et surnaturelles présences. Animaux plutôt craintifs, elles sont là tranquilles, à quelques mètres de nous : on ne les dérange pas. « C'est Bambi… », chuchote Thierry. C'en est trop !

Par je ne sais quelle impulsion, je détériore cet instant idyllique. Il m'est, alors, impossible de goûter à ce moment féerique. Je gâte tout : je laisse des pensées négatives me malmener et je mets fin à cet enchantement en me levant pour partir. Je ne m'autorise pas ce bonheur. Ce ravissement existe parce que nous avons détruit notre histoire avec nos ex-conjoints. Je le vis mal, très mal… Effrayées par ma fuite bruyante, les biches disparaissent. Je me désole. Pauvre Thierry, il n'a rien compris à cet anéantissement. Il n'y a rien à comprendre, il y n'a rien à dire : c'est nul ! *Maman*, pourquoi suis-je si impotente face au bien-être ? Je n'ai aucun contrôle sur ces pensées négatives qui me viennent à l'esprit de manière aléatoire. Cela me fait peur, *maman*…

*Maman*, le docteur qui m'a prescrit des antidépresseurs a parlé de ces changements d'idées répétées et continues que je peux avoir. Il a aussi exprimé que mon état atonique devrait s'estomper dans le temps. Tu parles, je m'endors sur mon bureau tant je suis épuisée ! J'arrive à me dégoûter de ce que je deviens. Je ne reçois que de vagues explications à mon état dépressif. Je me pose une multitude de questions qui restent sans réponse.

Heureusement, la placidité et la sérénité dont fait preuve Thierry vont m'amener à réfléchir différemment : je n'aurai de cesse d'essayer de profiter du moment présent sans le contaminer par des ruminations nocives qui me martyrisent. Malheureusement, je n'y arrive pas toujours…

De mon côté, j'ouvrirai Thierry à la parole, et communiquer deviendra pour lui un plaisir. Auparavant, discuter était pour lui une torture. Des complexes l'empêchaient de converser. Depuis, il a pris confiance en lui et c'est avec joie qu'il s'adonne aux plaisirs d'un conciliabule.

*Maman*, Thierry me procure du bien-être et en échange, je l'ouvre aux plaisirs de la vie. Nous réussissons tous deux à mettre en valeur le meilleur de l'autre. N'est-ce pas formidable ?

Nous passons quelques années à vivre avec nos enfants respectifs, chacun dans sa demeure. Nous ne souhaitons pas les perturber et leur imposer les enfants de l'autre. Très vite, pourtant, nous allons avec nos petits à la rencontre de l'autre de manière plus soutenue. Les enfants font connaissance. Comme pour toute famille recomposée, on souhaite que l'entente entre eux se passe à merveille. Nous découvrons avec bonheur que leur relation évolue agréablement. Fabrice et Pauline (la petite dernière de Thierry) sont très attachés l'un à l'autre : ils ont six ans d'écart. C'est avec ravissement que nous les observons partir dans leur monde dont ils sont seuls à maîtriser le jeu et le langage.

Quant à ma fille et l'aînée de Thierry, elles s'acoquinent : un lien fusionnel se crée entre elles. Plus tard, étudiantes, elles partageront en collocation un appartement.

Dorénavant, nous vivons essentiellement à six. J'achète un minibus pour amener tout ce petit monde chaque été en excursion. *Maman*, nous avons réussi : nos quatre enfants sont formidables !

Comme je suis une adepte du changement, je décide aussi d'aller vers un autre métier. D'informaticienne, je deviens professeure en économie gestion. Je lâche mon travail dans l'informatique et j'entame des remplacements en lycée professionnel. Je découvre avec ferveur que je ne me suis pas trompée : j'ai beaucoup d'enthousiasme à professer. J'aime la jeunesse et elle me le rend bien. C'est toujours avec plaisir et envie que je me rends dans l'établissement.

Je suis fière de moi, *maman*, je fais le même métier que toi. C'est donc avec beaucoup de volonté que je prépare le concours de professeur afin d'être titularisée. Au bout de trois tentatives, je le réussis enfin.

C'est pathétiquement comique, mon père et la tata manifestent un peu de reconnaissance sur mon nouveau choix professionnel. En effet, je suis passée de femme de ménage à professeure. J'ai trente-huit ans et enfin, je leur plais ! Ces nouvelles attentions pour ma petite personne arrivent trop tard : je ne croirai plus jamais à leurs éventuels sentiments ! Ce qui me reste en mémoire, ce sont leurs phrases humiliantes, leur désintérêt sur ma vie d'avant, leur manque de sollicitude et d'amour.

Maintenant, je rentre dans les clous ? Maintenant, je suis devenue une personne digne d'intérêt. Avant, je n'étais rien, je ne valais rien... C'est bien ça ? J'aimerais leur crier dessus qu'avant d'être professeure, je suis d'abord Fabiola : un être aimable !

Je suis bien là... J'ai tout. J'ai une famille composée de Thierry et de quatre gamins. Je vais vers un métier qui me passionne. Matériellement, je m'en sors : je n'ai pas réellement de souci. Un petit hic : je suis toujours sous antidépresseur. Je ne vais pas mieux dans l'organisation de mes pensées : c'est souvent le chaos. Cependant, je sens que cette béquille médicamenteuse est importante, mais je ne m'y attarde pas trop. J'encaisse, juste, le fait de souffrir d'une maladie honteuse. Je n'en parle pas, je la réfute !

Mais c'est sans compter sur la perfidie de la vie : elle a toujours un virage mortel qui se présente. Dès lors, je me précipite droit dans le mur lorsque j'apprends que mon ami Coco décède à cinquante-cinq ans d'une crise cardiaque. Je n'endosse pas cette mort. Coco était pour moi l'incarnation du rire, la fête assurée et la tendresse affichée.

J'ai quarante ans. Je perds beaucoup, énormément...

*Maman*, lis ce dont je suis dépossédée :

À celui qui sait recevoir dans son cœur,

À celui qui compte sans compter,

À celui que l'on dérange sans déranger,

À celui qui sonne : c'est lui que l'on attendait !

À celui qui est mon Ami…

C'est une prose que j'avais écrite à Coco un jour de l'an. Je l'aimais. Il m'aimait.

Terrassée par cette disparition, je n'arrive pas à admettre son décès. Son absence dans ma vie est trop cruelle ! Coco me sécurisait avec son affection. Il avait encore tant à m'apprendre. Coco et Dany formaient un tout. Je me projetais : je souhaitais vivre comme eux, dans la tendresse, l'humour, la fête, la création et dans les discussions nocturnes au coin d'une cheminée. Avec leurs quinze années de plus que moi, je n'avais pas peur de vieillir. Je voulais leur ressembler : je projetais ma vie sur la leur. *Maman*, ils auront été mes meilleurs substituts parentaux. Coco était mon mentor !

Alors que je dénigrais mon paternel au point de ne plus vouloir le rencontrer, je reportais le besoin de chérir un père sur Coco : j'avais trouvé un équilibre. Là, je suis complètement désorientée.

L'enterrement de Coco a duré plusieurs jours. Un soir, après quelques verres de vin, j'ai hurlé à qui voulait bien l'entendre :

« C'est dégueulasse, ce n'est pas Coco qui aurait dû crever, mais bien mon père plus âgé et dont son inutilité fut exemplaire dans ma vie ! »

*Maman*, il faut que je t'avoue quelque chose : je n'aime pas papa.

## Père ou papa

Il est allongé, là, de tout son long… Il est inerte et froid. Son visage est le même : son nez est toujours aussi proéminent. Sa peau est translucide. Son front est éternellement dégarni. Ses yeux sont clos sur ses pupilles gris-bleu. Ses mains sont croisées sur son abdomen qui ne se soulève plus…

Je le touche : il est gelé. Je prononce, ironiquement, une seule et unique phrase : « Tu as l'air malin, là… »

Puis, je ferme doucement la porte sur sa dépouille ; je m'en vais ; je ne pleure pas ; je n'ai pas d'émotion. J'ai quarante et un ans. *Maman*, papa est mort.

Il est parti dans les limbes : je n'aurais plus à attendre son courrier qui n'arrivera jamais… Je n'ouvrirai plus ma boîte aux lettres pour y découvrir l'absence de ses écrits.

Voilà quatre années que je ne vois plus mon père : c'est ma décision ! Cette rupture informelle s'est faite par convention tacite : je décline une invitation à un repas de famille parce qu'il s'y trouve. Je suppose qu'il prend cet affront comme gage de désunion. Il n'essaiera jamais de savoir pourquoi je refuse de le voir. Je suis incapable de définir rationnellement ce choix : mon père me dégoûte, c'est tout !

Cependant, il y a toujours mon cœur d'enfant qui réclame une brindille d'amour d'où ma frénésie devant ma boîte aux lettres.

Inévitablement, pendant ces années sans se voir, j'oublie ce qu'il est et je suis, maintes fois, tentée de le rencontrer. Incontestablement, la répulsion que j'éprouve envers lui l'emporte sur l'idée d'une revoyure. Un jour de rage, avec mon stylo, j'ai transpercé une feuille blanche de caractères noirs :

« Père,

ma colère gronde de plus en plus et rien ne l'arrête…

Je ne comprends pas l'amour que j'ai pu te porter.

Je maudis le hasard d'avoir hérité de tes gènes.

Tu as tué mon frère.

Je t'abhorre de ne pas avoir entretenu l'âme de maman.

J'exècre ta personnalité : ton manque d'amour et ton manque de compassion.

J'abomine ta négligence sur ta progéniture.

Tu n'aurais jamais dû être mon père et je n'aurais jamais existé dans cette vie chaotique. Je ne t'aime plus.

Ta fille qui refuse d'être la tienne… »

*Maman*, voilà ce que je raisonne quand je pense à papa !

Comment as-tu fait, *maman*, pour épouser mon père ? Cet homme, un tantinet phallocrate, avait ce besoin irrépressible de prouver sa position de mâle dominant dans notre famille.

La semaine, il était sur les routes de France pour vendre des bandes dessinées et de la papeterie. Toi, *maman*, tu étais cantonnée au rôle de femme au foyer. Cela ne t'allait pas du tout au teint. Tu étais une femme superbe, coquette à souhait, mais tu n'avais aucune vie sociale. Sortie de tes trois enfants, tu n'avais rien… Pourtant, ton intelligence était vive et ta culture n'avait pas d'égale. Dotée d'un diplôme en Lettres supérieures, tu n'en as fait aucun usage. Tu changeais les couches, tu faisais le ménage et tu cuisinais. Dans ton rôle de ménagère, tu étais parfaite : la maison était bien entretenue et nous ne manquions de rien. Tu étais mère et épouse : tu t'es épuisée à jouer tes personnages à la perfection. Pour les jolies toilettes dont tu t'affublais, il te fallait quémander de l'argent à papa. En allant nous chercher à l'école, tu étrennais tes tenues. Tu étais magnifique ! À tel point qu'un jour, je clame :

« Ma maman, c'est la plus belle ! » Vêtue avec classe, les autres mères me paraissaient grises et sans beauté. J'ai renchéri : « Moi, j'ai une vraie maman ! » Lorsque tu mourras, cette phrase me vaudra des tourments et des regrets. En effet, la logique implacable de la religion catholique m'écrasera sous le poids du péché de vantardise. Je m'en voudrais d'avoir eu une telle pensée et je pousserai ma réflexion encore plus loin : « Si je n'avais pas fanfaronné, ma maman serait peut-être encore en vie… »

Qu'est-ce qu'on spécule quand on est gosse !

*Maman*, pourquoi suis-je née ?

Tu avais deux enfants et tu étais déjà bien épuisée. Pourquoi un dernier-né ? C'était moi, la calamité, l'accident non célébré. *Maman*, tu ne souhaitais pas que cette graine germe et pourtant, ton ventre allait encore s'arrondir : j'allais pousser dans ton décor. Chrétienne, tu n'aurais pas osé me faire passer en lugubre interlude, toi si douce et si prude. Combien de fois, ai-je souhaité que papa ne soit pas mon paternel, que tu aies fauté et été infidèle ! Je serais née d'une histoire rebelle : l'idée est tellement plus séduisante. J'aurais approuvé ta faute inavouée. Elle m'aurait soignée de ton départ prématuré. Je préférerais imaginer être née d'un inconnu plutôt que de cet homme. Je n'en voulais pas de l'égocentrique, je ne voulais pas de sa génétique. L'accident que je suis aurait dû être fatal : je n'aurais pas poussé et grandi si mal…

Petits, nous étions tous les trois effrayés par notre père. Il arborait une attitude distante et sans chaleur. Je ne me souviens d'aucun geste affectueux. Aucune émotion ne froissait son visage pâle. Seul son regard affichait un trouble : essentiellement, l'exaspération ! Il ne savait pas non plus embrasser : sa bise effleurait à peine nos joues. C'est du bout des lèvres qu'il lâchait un baiser. De plus, lorsqu'il nous bigeait, il amorçait, en même temps, un mouvement de recul. Je crois, *maman*, qu'il était dégoûté par le contact. Je le plains, là…

Précieux, sa démarche était efféminée et sa gestuelle maniérée.

J'ai six ans. Je fais une chute dans le jardin. Ma tête heurte une bordure en ciment : je m'ouvre le front. Couverte de sang, mon père me porte dans ses bras jusqu'à la maison. J'en suis toute bouleversée. Je retiens mes larmes pour lui prouver mon courage à affronter cette blessure qui m'a valu cinq points de suture : je veux avant tout qu'il soit fier de moi. Ce sera le seul et unique moment de ma vie où je me sentirai soutenue par lui. Il a eu, enfin, une attitude de papa ordinaire.

Ce ne fut qu'une parenthèse. Il était implacable sur tout et notre attitude devait être exemplaire. Nous n'avions droit à aucun écart de langage. Chaque familiarité nous amenait à écrire des lignes et des lignes sur le mot grossier.

La plupart du temps, mon père était enfermé dans son bureau. Cet antre dans lequel il se réfugiait, nous n'y avions que rarement accès. Pour peu que nous ayons besoin de lui parler, il fallait toquer à la porte et attendre le « oui » exaspéré du Père.

Dès qu'on entendait le ronron de sa voiture lorsqu'il rentrait de sa semaine de travail, un des enfants se précipitait pour lui ouvrir le portail. Il fallait réagir vite et ne pas le faire attendre, sinon il nous ridiculisait par des mots blessants : « Tu as la lenteur d'une limace… » Son visage arborait souvent le mépris. L'absence de sourire et son regard dédaigneux nous sommaient de rester à notre place d'enfants bien dressés : nous nous contentions d'exécuter en silence ses ordres.

Les repas, lieu où nous n'avions pas droit à la parole, étaient une épreuve. Sans proférer un mot, nous devions nous tenir droit et manger avec toute la délicatesse d'un adulte. Cet exercice était difficile pour moi plutôt brouillonne et vive : je renversais souvent mon verre d'eau. La punition tombait : chacun avait un lieu dédié pour vivre sa pénitence. Ma sœur terminait son repas à la cave où elle était morte de trouille. Pour mon frère, il se retrouvait sur les marches froides de l'escalier en marbre. Quant à moi, j'étais confinée dans les toilettes : c'était avilissant. Vraiment, *maman*, on le craignait !

Mon père était amateur de jeux de société. Cela aurait pu être un grand bonheur pour nous, les enfants. Cependant, lorsqu'il nous proposait une activité ludique qui n'attendait aucun refus, nous étions, tous les trois, très anxieux face à son humeur que nous connaissions versatile. Alors même que nous jouions aux petits chevaux, jeu sans équipe, nous prenions des retours cinglants si nous commettions une erreur stratégique pendant la partie. Sur un ton sarcastique, il pouvait proférer : « Vraiment, tu fais n'importe quoi ma pauvre fille, tu aurais dû sortir un autre cheval ! » C'est dans la crainte de recevoir des mots désobligeants que nous lancions les dés. Mon père usait et abusait de mots vipérins.

Pour nous éduquer, il utilisait une autre arme : la laisse du chien ! Il ne nous touchait pas avec la main arguant ceci :

« Pour punir, il faut utiliser un accessoire, la main est faite pour caresser ». Notre père n'utilisait jamais sa main : ni gifle ni caresse !

C'est l'hiver, nous étions tous les trois dans la salle de bain. On se chamaillait, on jouait, on s'invectivait, on riait ! Dans ce méli-mélo de mains qui se bataillaient, nous avons fait tomber un objet appartenant à notre père : il s'est cassé ! Il est rentré dans une colère froide et a envoyé ma sœur aînée chercher la laisse de chien. Notre lien fraternel n'avait pas permis de dénoncer le responsable de ce méfait : solidarité oblige ! Il nous a battus à tour de rôle. Pour mériter une telle raclée, nous avons pensé pendant plusieurs années que ce bibelot était onéreux. Or, c'était un stick qui permet de cicatriser les coupures faites par un rasoir. Tant sa fureur était aléatoire, nous distinguions difficilement ce qui était « bien » ou « mal ».

Pourquoi n'intervenais-tu pas, *maman* ? Étais-tu d'accord avec ces principes éducatifs ? Ton silence est sans équivoque...

En grandissant, les discours de mon père sont devenus de plus en plus omniprésents. Il nous enveloppait de mots recherchés, de phrases soutenues et ses diatribes ne laissaient pas de place à une quelconque répartie. Nous croulions sous ses diarrhées verbales ! Si nous nous exprimions, il goûtait nos petits mots sans les avaler ; seuls ses propres vocables l'intéressaient.

Dis-moi, *maman*, comment ai-je pu ressentir de l'amour pour cet homme ?

Je crois connaître l'origine de cette faiblesse à l'avoir chéri. Je suis sa fille : mon affection était irrémédiablement biaisée. J'aimais mon bourreau de père ! Je ne connaissais que ce modèle et je pensais que tous les papas devaient être ainsi : dur, froid et distant. Pire, je n'associais pas mon père à ces qualificatifs : son attitude était normale puisque c'était mon papa... J'attendrai l'âge de trente-cinq ans pour m'autoriser à penser que mon père n'est ni un être aimable ni un père convenable.

À une époque, je l'aimais tellement que je le défendais bec et ongle contre tous ceux qui le dénigraient.

Un jour, tata lance une phrase qui pique :

— Évidemment, ton père, avec ses idées de grandeur, a encore acheté une voiture de luxe alors qu'il a à peine de quoi se nourrir !

Je rétorque :

— Et alors, il fait ce qu'il veut de son argent.

— Bien sûr, tu le défends : c'est normal, c'est ton pèèèère !

— Je…

Je n'ai pas terminé ma phrase, elle est restée en suspens. Ma tante avait une nouvelle fois raison quant à sa description sur mon père. Elle disait de lui qu'il était mégalomane, arrogant et vantard. L'argent lui brûlait les doigts et il se consumait dans des vêtements de luxe, voiture de sport et nuits d'hôtel hors de prix.

Sans une once d'embarras, quand j'ai hérité de toi, *maman*, papa m'a demandé de lui prêter de l'argent. Quelle cruche, je l'ai fait ! La somme était assez conséquente et je ne la voyais pas revenir sur mon compte. Quelques mois plus tard, exaspérée et en besoin, je lui ai réclamé mon dû. Avec beaucoup de mauvaise volonté, il m'a tout rendu. Il avait osé emprunter de l'argent à sa fille de dix-huit ans qui venait de percevoir un héritage parce que sa mère était morte ! Je lui ai énormément voulu de cette indélicatesse. Il ne manquait pas d'audace et avait, comme à son habitude, toujours aussi peu de scrupules face à la monnaie.

J'aurais une foule d'anecdotes à te conter, *maman*, mais tu connais papa et tu sais que je ne fabule pas sur son comportement navrant.

*Maman*, papa change d'attitude envers moi lorsque j'ai trente ans. Là, j'avoue que je suis un peu perdue : la transition est brutale !

Pour parer aux attitudes vipérines de mon père, je me suis forgé une carapace pour ne plus être atteinte affectivement. Et quand je n'espérais plus avoir un père ordinaire, ce dernier me lâche des louanges et conclut ses monologues par : « Je suis fier de toi. »

Je croule sous ses courriers à l'écriture pratiquement illisible. Je lis des félicitations sur ma vie de famille et des : « Je t'aime, papa » en fin de missives.

Cependant, je ne peux pas recevoir ces égards tous neufs : je n'y crois plus. Tout me paraît bâti de toutes pièces et de toute façon, je n'en veux plus. Je me suis construite sous le poids de son éducation punitive et agressive. Cette tendresse (si tentait que cela en était une) arrive, malheureusement, trop tard… Sur l'instant, les mots doucereux de mon père m'émeuvent puis ils glissent et se perdent : cela ne touche pas mon cœur. Que cherche-t-il ? La rédemption ? Je ne crois pas, il est bien trop égocentrique pour se remettre en question. Il est juste face à une réalité criante : je réussis socialement et affectivement ma vie. C'est neutre et sans affect pour lui. Seule, sa fierté grandit en lui. Son intérêt tout neuf pour moi renforce son besoin excessif d'être admiré. Cependant, lorsque j'aurai quelques déboires, il n'aura aucune empathie envers moi. C'est tout simplement un homme narcissique !

*Maman*, j'aurais préféré qu'il reste tel qu'il était.

Ce revirement me bouleverse. De fait, je ne suis plus du tout à l'aise avec lui. De plus, il aura l'indécence de me raconter en détail sa vie amoureuse. Je ne suis pas son amie et je ne veux rien connaître sur ses relations avec une femme. Bien sûr, je n'ose rien dire et j'écoute d'une oreille distraite. Je deviens sa confidente. C'est un rôle auquel je ne tiens pas du tout et qui me dérange au plus haut point. Face à sa conduite totalement déplacée, j'ai une sensation d'écœurement qui m'inonde.

Il n'était pas un père : il ne fut qu'un géniteur. C'est d'ailleurs par son sexe qu'il assurera le mieux sa vie sociale : les femmes… Il n'avait pas de copains et encore moins d'amis. C'était un intellectuel efféminé.

*Maman*, je crains bien avoir de l'antipathie vis-à-vis de papa, une sorte d'aversion instinctive et irraisonnée. Quand je le vois, il me déplaît : c'est une personne dont on n'a pas envie de faire la connaissance. Mais « putain », c'est mon père ! De toute évidence, je tombe dans un imbroglio de sentiments contradictoires.

Cette ambiguïté ressentie vis-à-vis de lui doit se clarifier. J'ai trente-cinq ans. Mon entourage m'assiste pour démêler mon impression alambiquée. Une phrase entendue finit par trancher ce méli-mélo : « Mais, enfin, Fabiola, ton père vous a largués à la D.D.A.S.S.1 ! » Je prends alors conscience de son renoncement à nous élever. Je laisse place à la dure réalité des faits : il nous a ABANDONNÉS ! Depuis cette prise de conscience, je l'exècre. J'ai ouvert les yeux sur l'homme qu'était mon père. Cette phrase : « Ton père vous a abandonnés à la D.D.A.S.S. ! », impactera désormais ma relation avec lui.

Il est très coûteux d'éprouver un mépris absolu vis-à-vis de son parent. C'est une considération violente qui détruit mon âme d'enfant. Penser ou parler de lui devient un tour de force pour mon esprit. Je suis consternée : j'aurais tant aimé avoir un gentil papa qui m'aime…

Est-on censé affectionner son papa ? C'est éprouvant de s'entendre dire : « Je n'aime pas mon père. » Cela sonne mal… Par ailleurs, le mot « papa » ne peut plus sortir de ma bouche : il est périmé. Désormais, l'interpellation « père » prend sa place dans mes rares élocutions.

Laissons au mot « papa » sa douce consonance pour ceux qui en ont la véritable fonction.

Lors de ta disparition, *maman*, nous sommes tous les trois dans des endroits différents. Ma sœur est chez Mamie. Je suis chez tata. Quant à Éric, personne de la famille n'a voulu le prendre. Il est donc, malheureusement, resté avec Père. À dix ans, il se retrouve en internat dans une école privée. Le week-end, il vit avec Père. Aucun des deux ne sait cuisiner : ils mangent des boîtes de conserve ! Un soir où père n'est pas là, Éric est en train de dormir sur un matelas de fortune : l'appartement est cambriolé. Éric vit la terreur ! Enfoui sous ses draps, il patiente jusqu'au départ des malfrats. Ce souvenir me brise le cœur. Comment peut-on laisser son gamin dans une insécurité pareille ?

Chaque vendredi, père récupère son fils à la sortie du collège. Un jour, il l'oublie. Éric reste seul sur le bord du trottoir jusqu'à la tombée de la nuit : il a dix ans. Il est complètement affolé à l'idée que personne ne vienne le chercher. De nouveau, mon frère se retrouve en situation précaire et dangereuse à cause de la négligence du Père. Cela a contribué à fragiliser encore plus la complexité d'Éric. Ces manquements ont propulsé mon frère à mettre fin à ses jours ! Père n'avait aucune aptitude pour prendre en charge les difficultés de son enfant. Il n'affectionnait pas le caractère d'Éric et il n'avait aucune fierté à l'égard de son fils. Si mon frère avait eu un père ordinaire et affectueux, aurait-il mis fin à ses jours ?

Lorsqu'Éric est passé à l'acte, il tenait dans sa main une chemise cartonnée. Sur cette dernière se trouvait un numéro de téléphone : celui de Père. À ce dernier message codé de chiffres, j'ai pensé à une vengeance d'un fils envers son père : « Peut-être que mort, afficheras-tu des sentiments envers moi ? » ou encore « Souffre de ma disparition comme j'ai pâti de ton désamour ! »

Après ton décès, *maman*, père n'a pas cultivé ta mémoire. Nous avions un seul choix : te déserter. Je n'avais pas envie que tu disparaisses, bien au contraire. J'adorais qu'on me raconte des histoires sur toi : cela te rendait vivante dans ma mémoire et c'était un bienfait apaisant. Père voyait les choses différemment et on le comprendra plus tard quand il nous parlera de sa propre mère qu'il a perdue à l'âge de neuf ans. Depuis la mort de sa maman, il formulait cette phrase : « Puisque tu es morte, je ne penserai plus jamais à toi. » Il faut être étrange pour s'infliger pareille torture mentale. De fait, il a imaginé que nous ferions comme lui…

Pendant des années, j'ai cherché sa reconnaissance. Maintenant, je voudrais qu'il ne m'ait jamais reconnu à la mairie. Je porte, à ce jour, son patronyme et j'en souffre : je voudrais me délier de ce nom de famille. Dans mon métier, je suis très souvent interpellée par mes élèves et je subis ce « nom » naïvement prononcé, comme un fil qui me relie encore à Père. Outre le fait que cette dénomination est héréditaire, père aura fait de son nom de famille un conte. Nous avons toujours pensé que notre grand-père, décédé avant notre naissance, était le père de notre père. Tata m'a fait part du secret de famille vigoureusement préservé par mon père : ce dernier n'était qu'un bâtard ! À l'époque, cette illégitimité offusquait. Mon grand-père (de lien) aurait épousé ma grand-mère alors enceinte de père. Je suppose que ce dernier, pour rendre plus légitime sa naissance, a caché la vérité et l'a embellie par des historiettes à dormir debout.

*Maman*, je pense sincèrement à changer de nom, je me sentirai plus pure… désinfectée de lui… plus libre.

Quelquefois, *maman*, je me demande pourquoi je n'ai pas de compassion pour lui. Je connais un peu son enfance douloureuse et je n'ai, pourtant, aucune indulgence envers lui. Je ne lui pardonne rien !

Lorsque j'ai ouvert la porte du désamour, j'ai perdu mon paternel : il a agonisé dans mon cœur. Ma répulsion envers lui a empli tout l'espace de mon âme. Sa présence, son odeur de parfum sucré me débectent : je ne supporte plus qu'il m'approche : c'est purement physique. Ses discours excentriques ne m'intéressent plus : je le trouve ridicule dans ses propos et archaïque dans ses rhétoriques.

C'est un déshonneur d'être un de ses fruits. En effet, j'ai en moi certaines de ses caractéristiques. Il m'est impossible de ne pas observer en moi des similitudes avec lui. Je parle beaucoup, j'aime avoir toute l'attention tournée vers moi, je suis coléreuse et je peux lâcher quelques mots vipérins. J'ai la peau laiteuse comme lui et sans répit, je peux travailler des heures durant.

Je suis bien obligée de convenir que je suis née de lui. Certains phénomènes en moi me rappellent mon ascendant et cela me déséquilibre. Des attitudes physiques obtenues par mimétisme surviennent. Si j'en prends conscience, elles sont vite effacées : je stoppe, alors, le geste et le remplace par un autre. Dès lors, quand je conduis, je n'appose plus mes deux doigts sur mes lèvres. C'est père qui fait ça, pas moi, surtout pas moi ! Avec violence, je résiste, aussi, à dévoiler des mots glacés…

Je ne peux décemment pas m'apprécier alors que je ressemble à lui sur certains points. Du coup, je ne veux plus de lui comme papa, même mort !

*Maman*, père est parti vers la nébuleuse, mais je n'en suis pas soulagée, même si aucun chagrin ne vient me secouer. Comment l'oublier ? Comment va-t-il via ma mémoire cesser de me tourmenter ? Pour bien faire, il faudrait une lobotomie de tout ce qui le concerne pour occire ce personnage traumatique de ma vie.

*Maman*, je ne te connais pas : tu es juste une élucubration sortie de mon imagination.

*Maman*, je n'aime pas père.

*Maman*, j'ai poussé comme un chardon sauvage au milieu d'un désert affectif.

Sans parents bienveillants, comment trouver une quelconque estime de soi ?

Cette mésestime de moi me rendra gravement malade…

## Une maladie invisible

*Maman*, à quarante-deux ans, tu t'es échappée du monde terrestre sans me dire au revoir. Aujourd'hui, j'ai cet âge.

Parfois, lorsque je regarde mon reflet dans le miroir : je te vois et un émerveillement me saisit ! Je m'attarde sur cet instant enchanteur : tu vis à travers mes traits... Mais quelques secondes après, il se dissout dans un tourment impitoyable : tu étais, mais tu n'es plus.

Je vis, mais affreusement mal. Comme toi au même âge, *maman*, je fléchis sous la maladie.

Un découragement soudain m'accable. Je soupire bruyamment. Je n'arrive pas à me ressaisir ni à contrôler le tressaillement de mes jambes. Ces dernières carambolent face à cet abattement : c'est un réflexe de vie. Mon cœur lui aussi se manifeste et s'emballe : ses palpitations accélérées rendent mes mains moites. Je me sens impuissante à soulager cette langueur qui m'enveloppe. J'arrive à peine à déglutir : j'étouffe.

Toutes ces manifestations physiologiques sont dues à mes pensées. Elles partent tous azimuts dans une noirceur extrême et non maîtrisable. Je souhaite que ma tête se vide de ces cogitations anxiogènes qui paralysent mes idées claires.

Soudain, je prends peur face à mes pensées insolites et sombres !

Quelques mois plutôt, père est décédé.

Le déclencheur, dira-t-on ?

Il a fallu attendre cette mort pour laquelle je n'ai éprouvé aucun chagrin, pour tomber !

Tomber comment ?

Sur quoi ?

Où ?

Si bas…

Pourquoi ?

De la tête aux pieds, je suis vêtue d'une étole épaisse et lugubre : tous mes sens sont brouillés. C'est l'arrêt. Terminé ! Je ne suis plus maître de moi. C'est paniquant !

Dimanche treize, je suis internée en clinique psychiatrique. Ce matin-là, dans ma petite maison de bourg, je travaille et je prépare avec assiduité mes cours. Au salon, Thierry est avec moi, il est très affairé aussi. C'est dans une ambiance musicale sereine que nous nous agitons. Assise à mon bureau, j'observe le monticule de documents qui croulent sur la table et les classeurs qui jonchent le sol. J'ouvre un dossier tout en pensant à un autre. Face à mon ordinateur, je frappe avec frénésie les touches pour accélérer l'aboutissement de mon travail. Des post-it sont collés ici et là. Ces petits carrés jaunes griffonnés me donnent la nausée. Une imperceptible montée de panique m'engorge. Je suis terrorisée par mon affolement qui va croissant. Cette frayeur n'a, pourtant, pas de sens. Je veux me mettre un coup de pied au « cul », mais je ne peux pas : toute volonté est annihilée !

Je contemple avec amertume ma déficience à réagir. Moi, si combative, je me laisse asphyxier par cette extrême faiblesse. Soudain, des larmes explosent dans mes yeux et soulagent, un temps, mon cerveau emprisonné. Un éclair de lucidité se fraie un chemin : j'ai besoin d'aide. Thierry m'aperçoit avachie sur ma chaise, les épaules affaissées, secouée par les sanglots et le regard rivé sur mes pieds. Il s'approche et tente un dialogue. Écrasée par cette sensation d'impuissance, je reste prostrée le menton enfoncé dans mon cou et le visage enfoui dans mes mains. Cette stupeur m'inonde : il m'est impossible d'émerger.

Dans un liquide morveux, je bafouille sur mon travail à finir, mes impératifs envers les enfants et notre demain ensemble. Tout se mêle, s'entremêle dans un chaos insensé. Je redoute demain, l'heure à venir et la seconde qui se pointe.

À peine audible : Thierry tend l'oreille et me fait répéter.

Subitement, je suis bien trop calme. Ma voix intérieure devient bien trop claire, bien trop limpide. Faiblement, je prononce : « Je veux mourir… »

Je saisis à peine la teneur de mes propos. Je désire seulement stopper la machine infernale qu'est devenu mon cerveau. Sans en connaître précisément les causes, je suis envahie sournoisement par une crainte inexpliquée qui me torture inlassablement. Mourir devient, alors, l'unique perspective. C'est la seule manière de faire taire mes pensées qui me font vivre un enfer. Chaque réflexion est un coup de poignard planté dans mon cœur.

Je ne comprends pas, la veille, je dînais chez des amis, tout allait bien… Dans l'œil bleu de Thierry, j'entraperçois du désarroi : il est déstabilisé par mes propos. De plus, je ne fournis aucune explication plausible et rationnelle. Mon tourment ne se voit pas, ni ne s'entend, ni ne s'explique et ni ne s'apaise : aucune plaie visible ; pas de mots intelligibles à délivrer ; pas de justification à fournir ; pas de solution à soumettre. C'est une horreur pour se faire entendre !

Affolé par la puissance de ces trois intelligibles : « Je veux mourir… », Thierry me propose d'aller chez le médecin de garde. À cet instant, mes larmes sont asséchées et je me moque bien vers où l'on m'amène. Catatonique, mon attitude prend la forme d'acceptation passive. Plus rien ne me touche : je ne pense à rien ni à personne. Je suis sèche comme un bout de bois mort.

Autour de moi, des bruits de vie me raniment et, pour un moment, je sors de cette léthargie. Il devient impératif que je sois ébranlée par l'amour pour que ma machine veuille bien tourner encore un peu… Je dirige alors mes pensées vers mon compagnon et mes enfants. Je reprends mon souffle : j'obtiens quelques instants de répit.

Thierry me conduit chez le docteur. Ce dernier essaie de m'ouvrir au dialogue, mais je n'ai qu'un flot de larmes à lui offrir. Il propose à Thierry de m'amener à l'hôpital psychiatrique. Il insiste : « Elle ne peut pas rester dans cet état. Il faut réagir vite ! »

J'arrive dans un lieu lugubre : je m'affole !

Qu'est-ce que je fais là, *maman* ?

Je suis devant une immense bâtisse, en pierres, pourvue de fenêtres à barreaux : c'est le grand hôpital psychiatrique de Bordeaux. Dans la salle d'attente, d'autres personnes, au visage défait, patientent. Cela m'effraie.

Face à l'infirmier qui nous reçoit, j'ai les mêmes réponses données au docteur : des larmes… S'ensuit un entretien entre l'infirmier et Thierry. Je n'en connais pas le contenu et à cet instant, je m'en moque totalement.

Je dois quitter mon homme, mais c'est lui qui part… Je me sens abandonnée et de nouveau, une angoisse irraisonnée me submerge. Je me réfugie dans les bras de Thierry et l'infirmier est obligé de m'arracher à lui. Je vois dans les prunelles bleues de mon amour qu'il est tout aussi perdu que moi. Je suis encore plus terrifiée. Que vont-ils me faire ?

L'infirmier et moi, nous parcourons des couloirs, encore des couloirs pour pénétrer enfin dans un service. Il sort un gros trousseau de clés et ouvre une porte qui dessert plusieurs chambres. Mon air anxieux l'encourage à me fournir quelques explications : « Ici, vous êtes au service des urgences psychiatriques. Demain, un psychiatre vous verra et établira un diagnostic sur votre état (mental s'entend). Pour l'instant, vous restez ici cette nuit. »

Arrivée dans une chambre triste et aseptisée, l'infirmier me dépossède de tout : chaussures, ceinture et sac à main. Perplexe un certain temps, je comprends par la suite que je n'ai plus rien en ma possession pour mettre fin à mes jours. Il ferme la porte derrière lui et me laisse dans cinq mètres carrés avec une fenêtre qui s'entrouvre sur dix centimètres de large. Les murs sont de couleur rose sale et le carreau au sol est vieux et ébréché. Je m'allonge sur le lit à une place : j'ai envie de fumer. Il m'a laissé mes cigarettes, mais sans feu. Il faut que j'appelle un infirmier pour obtenir une flamme. J'enfile leur pyjama bleu et je tente de sombrer dans un sommeil pour m'évader d'ici : en vain…

Captive de cette petite pièce fermée à double tour, je me sens mal : je suis un tantinet claustrophobe.

*Maman*, viens me délivrer de cette prison !

La nuit se poursuit et j'entends des cris déments qui me tétanisent. Claquemurée, je patiente jusqu'au lendemain et j'exige de quitter cet endroit au plus vite. Bonne nouvelle, une ambulance vient me chercher pour m'amener en clinique psychiatrique. L'ambulancier m'oblige à m'allonger sur un brancard. Je voudrais râler : je veux être assise, je ne suis ni blessée ni impotente, mais je suis trop épuisée pour implorer.

Que j'aurais aimé être accompagnée, sentir la présence d'un proche et ne pas affronter l'entrée dans ce nouveau monde sans la chaleur d'un amour ! *Maman*, pourquoi n'es-tu pas là ?

Je continue à t'appeler silencieusement en espérant un signe de ta part auquel je pourrais m'accrocher. Rien. Tu n'es décidément pas là…

Arrivée devant la clinique, un soignant m'accueille. Je n'arrive pas à pénétrer dans la bâtisse, je suis cimentée au sol. Des mains me poussent gentiment et une voix me tire pour faire un pas puis un autre vers un univers qui m'est totalement étranger. Je ne souhaite qu'une chose, m'isoler : je ne veux voir personne.

Tête baissée, je traverse l'enceinte de la clinique. J'aperçois l'accueil, le réfectoire où des personnes sont avachies sinistrement devant leur assiette, puis je me dirige vers ma future chambre personnelle. Ils ont inspecté mon petit sac à main, à la recherche d'objets contondants et d'un éventuel portable me reliant à l'extérieur : il est resté à la maison. Je ne communiquerai ni ne verrai personne de l'extérieur pendant une semaine : c'est la loi d'ici !

Enfin seule, je peux réfléchir, mais le sommeil m'attrape et je m'écroule sur le lit.

Des règles strictes balisent mon quotidien : des repas à heures fixes, le fond du parc interdit après dix-sept heures et les prises de médicaments à la queue leu leu. Je vivrai très mal ces contraintes. Tout m'agacera et plus encore, quand j'apprendrai par la psychiatre de la clinique que je vais rester en ces lieux au moins cinq semaines. Pourquoi si longtemps ?

*Maman*, vois-tu ça, je suis enfermée en clinique psychiatrique ?

Comme tu le sais, je suis de nature dépressive. Il paraîtrait que je suis en pleine crise de dépression grave. Cela se traduit par une baisse de moral, une diminution marquée de l'intérêt et du plaisir, une insomnie, un ralentissement psychomoteur, un sentiment de dévalorisation et de culpabilité excessive et des idées suicidaires récurrentes. Voilà, je suis apathique, sans entrain, je n'ai plus d'énergie et je passe mon temps à culpabiliser d'être ce que je suis ! Dès qu'un certain seuil de ruminations négatives est atteint, une seule et unique pensée pour me sauver survient : disparaître dans les limbes. J'enchaîne alors des scénarii pour mettre un terme à ma vie. C'est dément cette idée de cheminer vers son arrêt de mort, mais cela me permet d'envisager une pause avec les autres pensées au ton lugubre. Ainsi, j'ai la sensation qu'une issue à mon mal-être existe…

*Maman*, à cet instant-là, je me proclame folledingue !

En bonne santé, il faut savoir que je ne rejette pas la vie, bien au contraire je la croque ! Si une personne veut en terminer avec sa vie, sans être sous le fait d'une impulsion autodestructrice, c'est parce qu'il souffre tant et tant que vivre lui est insupportable ! Il souhaite une seule chose : que son calvaire se termine. *Maman*, dans une des lettres de Mamie, j'ai su que tu voulais mourir parce que ton cancer te grignotait de partout. Vivre avec une douleur vive et continuelle, c'est intolérable qu'elle soit physique ou morale. Vois-tu, *maman*, ce dimanche treize où je fus internée pour quarante jours, j'ai bien saisi ton écrit à Mamie.

Je te plains de tout mon cœur, ma *maman*.

Dans ce lieu funeste, mon quotidien est monotone et sans saveur. Les animations proposées m'indiffèrent : je ne veux rien faire. Une paresse encrasse tout désir de m'activer : je procrastine à tout va ! Les heures s'étirent à n'en plus finir. Je voudrais dormir à vie pour ne plus avoir à cogiter. Debout, je ne peux pas empêcher mes idées de s'entremêler à l'infini… Pire, je n'ai plus aucune ressource physique pour dynamiser mes journées. Heureusement, respirer est un mouvement involontaire sinon je serais morte asphyxiée. Certains jours et durant quelques heures, je suis réveillée : mon esprit est relativement apaisé. Alors, c'est avec bonheur, dans le patio de la clinique, que j'agite mon stylo noir sur un petit carnet. J'appose en enfilade des mots jusqu'à ce que ma main, épuisée, s'arrête. Les soignants voient dans cette activité un bienfait pour soulager mes pensées souffreteuses. En effet, écrire amène des idées nouvelles et elles tuent un instant les inextricables qui tournent en boucle. De plus, le temps passe plus vite et je jouis d'avoir fait quelque chose, même si c'est inutile. Bien que je ne sois pas belliqueuse envers les autres résidents, la cohabitation avec eux n'est pas aisée. C'est simple, je ne les supporte pas. Ma maladie m'a rendue fragile et c'est dans la peur que je croise les plus pugnaces : je rase les murs. D'autres, plus avenants tentent de m'approcher, je les ignore avec toute l'indélicatesse d'une personne mal élevée. Je ne me reconnais plus : je ne sais plus communiquer. Ma bouche est cousue et depuis ce dimanche treize, mon sourire s'est éteint. *Maman*, je deviens asociale !

Je ne comprends rien à ce que je suis ce jour. Je voudrais tant redevenir comme avant. Ma tête a éclaté en mille morceaux : j'ai mal. Regarde, *maman*, mais regarde comme je suis tombée bien bas. Je ne suis plus un être humain libre : on m'a enfermée.

Cinq fois par jour, je prends une charrette de comprimés (anxiolytiques, antidépresseurs, somnifères, régulateurs d'humeur…) sous l'œil affûté de l'infirmier qui vérifie bien que j'avale tout. Chaque fois, je dois supporter d'ingurgiter je ne sais quoi pour je ne sais quelle maladie.

Suis-je vraiment malade ?

Je n'éprouve aucune douleur physique : tout va bien, alors ! Pourtant, j'ai un diagnostic à l'appui. J'ai rendez-vous, tous les jours, avec un docteur. Tout de même, je ne dois pas être en grande forme. La spécialité de ce médecin est la psychiatrie, il s'occupe d'un organe : le cerveau. Il traite la maladie mentale.

*Maman*, on dit d'une personne atteinte du cancer : elle a le cancer. En revanche, lorsqu'on parle d'une personne atteinte d'une maladie mentale : « Elle est malade mentale. » La différence est énorme : on confond « avoir une maladie » et « être une maladie ». Du coup, c'est confus dans mon esprit. Je suis une malade mentale ou alors j'ai un ensemble d'affections entraînant des souffrances morales. Heureusement, la psychiatre me rassure et elle me donne toute légitimité à souffrir, à pleurer, à me plaindre de douleurs morales et à raconter les drames de ma vie. Elle ne me juge pas, m'écoute et me rassure sur cette souffrance qui devrait s'atténuer avec le temps.

Un jour, elle déclare : « Vous avez encore quarante belles années à vivre ! » Moi, qui pensais que c'était la dernière tant je souffrais...

Cloîtrée dans cette lugubre clinique, j'ai très envie de me réfugier dans les bras de mes proches. En effet, l'enfermement entre ces quatre murs et ce petit parc me rendent captive de mon mal-être et de ceux affichés par mes comparses. Continuellement, je redoute de rencontrer mes pairs malades au détour d'un couloir ou de les croiser au moment des repas. Leur mine affligée est le reflet de mon âme. Nous formons un tout en mal de vivre. Cet amoncellement de tourments formé par cette multitude de personnes regroupées dans le même espace me rend neurasthénique : je déprime encore plus. Je veux fuir ce monde alarmant : la présence de ces malheureux m'incommode au plus haut point !

Malgré tout, ici, je suis protégée par des soignants avertis. Ils acceptent la réalité de mes angoisses : ils ne jugent pas ni n'ignorent mes crises de profonds abattements. Ils sont là, rassurants ! Ici au moins je peux pleurer, me cacher dans ma chambre ou me plaindre : ils me soutiennent, toujours.

Dehors, qui va me comprendre ? Comment vais-je me comporter dans la vie de tous les jours avec mon compagnon et avec mes enfants ? Comment vont-ils réagir à ma toute nouvelle faiblesse ? Que vont penser les amis, les collègues ? Tout le monde ignore tout de cette maladie et de plus, elle n'attire pas la compassion.

*Maman*, j'ai la permission de rentrer pour un petit week-end. Je verrai seulement Thierry. Mon état affaibli risquerait d'apeurer mes petits. Nous sommes à table, mon homme a préparé un bon repas et pour le remercier, je verse des larmes sur ses jolis petits plats soignés. J'ai honte. *Maman*, une conversation sur toi est entamée entre nous deux.

« Pourquoi, trente ans après la mort de ta mère, tu la pleures encore ? me demande Thierry. Pourtant, tu as perdu l'habitude de la voir et de l'entendre.

— Je refuse sa disparition, dis-je timidement.

— Mais son décès est un état de fait et tu n'y peux rien.

— Je préfère fantasmer sur elle, poursuis-je d'une voix ténue.

— Du coup, tu souffres, quand tu reviens à la réalité, non ?

— Sur le moment, je passe des instants magiques. Lorsque l'incontestable vérité surgit, je l'ignore. Mon désarroi se trouve plutôt lors de moments cruciaux où sa présence devrait être omniprésente, comme pour la naissance des enfants.

— Justement, si tu avais pu entamer un deuil sérieux, tu serais moins éprouvée. Lorsque tu penserais à elle, tu n'aurais qu'une émotion mélancolique qui ne durerait pas. Là, tu pleures à chaudes larmes comme si tu venais de la perdre !

— Je la perds quasiment tous les jours. C'est un deuil quotidiennement avorté. Thierry, tu as raison, mais depuis qu'elle a disparu, je fais perdurer sa vie mentalement. La faire disparaître, c'est la faire mourir une nouvelle fois. Penser à elle rassure ma légitimité : je suis son enfant. Je ne suis pas née de nulle part. La pleurer rend son absence moins pesante.

— J'ai quand même envie de te dire de rompre symboliquement avec elle. Ton présent, c'est ce jour et non trente ans en arrière… »

Une fatigue m'envahit. Je ne peux plus poursuivre la conversation, mais je constate à quel point j'ai encore du chemin à arpenter pour rompre ce lien fictif avec toi, *maman.*

Dans l'état actuel, je suis tellement envahie par la maladie que je ne peux rien mettre en place pour évoluer dans ma relation avec toi. De plus, j'ai une multitude d'appréhensions : je me sens nulle au travail ; il me semble que je fais du mal aux enfants ; je reste persuadée que je foire tout avec Thierry. Mes raisonnements dégradent tout ce que je fais et tout ce que j'ai pu entreprendre par le passé. Je m'automutile : je scarifie mon mental. Ce n'est pas un choix délibéré : c'est devenu un automatisme. Je n'arrive plus à réfléchir normalement : c'est fini, je suis psychiquement atteinte !

Vais-je pouvoir guérir de cette pathologie ?

*Maman*, j'ai une frayeur infinie à retourner dans le monde réel. Je ne serai plus jamais la même, j'ai perdu mes repères dans une vie ordinaire. Dans les années à venir, la maladie s'intensifiera et poursuivra sa sinistre route…

## La tata

Enfin, je suis libérée de l'univers des « Psy-machins » et de mes complices : les malades mentaux !

Je jette un rapide et dernier coup d'œil sur ce monde auquel j'ai appartenu pieds, poings, esprit lié pendant cinq longues semaines. Je déserte cette planète peuplée de fous. C'est mon esprit rebelle qui me propulse vers la sortie. Je pousse la grille en fer forgé et je pose un pied sur le macadam des personnes ordinaires. Mon pas est incertain : je ne sais plus trop qui je suis… J'ai oublié les codes avec les gens « normaux ». Je réclame alors à recouvrer mon intégrité psychique ! Je braillerai bien cette exigence, mais aucun son ne sort de ma bouche. Plus tard, peut-être… Je ne suis pas pressée.

De retour à la maison, mes enfants tombent dans mes bras. Je suis déstabilisée par cette affection si familière et tant attendue. Je les regarde avec un amour craintif : je crains mal les aimer… Amour et responsabilité ne font pas bon ménage. Je suis transportée de joie par leurs sourires et terrifiée par leurs demandes. J'éprouve une fatigue extrême à naviguer entre ces deux humeurs. Je n'arrive plus à coexister avec eux naturellement.

*Maman*, mes petits m'appellent ! Je file dans la salle de bain me cacher : des larmes irraisonnées coulent à flots. Le matin, tous les deux se précipitent dans mon lit. Avec vivacité, ils me sortent de ma léthargie matinale et boueuse : j'en suis confondue de reconnaissance : « Mes amours, je vous aime ! » Sans m'en rendre compte, je les étreins à les étouffer. Des exclamations fusent :

Maman, arrête, tu me fais mal, tu serres trop fort, s'exclame ma fille !

— Bon, ça va là, maman, grogne mon fils.

— J'ai tant besoin de vos petits bras, dis-je plaintivement.

— Oh non, tu ne vas pas encore pleurer, soupirent-ils en chœur.

Je ravale mes larmes. J'ouvre mes bras et je les laisse regagner leurs occupations. Brutalement, je me sens vide. Je mets un temps fou pour les rejoindre à la cuisine. J'ai ce sentiment douloureux de rejet qui m'étreint : même mes enfants ne veulent plus de moi.

Thierry, très concerné par ce qui m'arrive, cherche et décortique toutes les informations possibles pour appréhender cette maladie : la dépression. Il constate que mes troubles sont bien ceux inscrits sur les articles médicaux. Cependant, il ne peut pas ressentir ce que je vis, et même après de multiples explications, je conviens qu'aucun mot ne peut résonner dans sa tête saine. Souvent, il me rappelle : « Pour une maladie physique, je peux imaginer la souffrance, mais pour une douleur morale, je n'arrive pas à la percevoir. » Il conclut par : « Fabiola, je ne comprends pas ta maladie, mais je réalise que tu endures de vrais tourments. Je ne peux qu'admettre. »

*Maman*, c'est formidable d'avoir sur sa route de tous les jours un compagnon attentionné, aimant et voulant à tout prix déchiffrer mon affection pour mieux me soutenir. Ma famille d'amour se cantonne à ces trois personnages : Thierry et mes enfants.

De temps à autre et souvent par dépit, je considère tata comme un membre familial très présent. Tu sais, *maman*, je ne sais jamais où je vais avec la tata : son attitude est déconcertante.

*Maman*, je ne te l'ai pas exprimé plus tôt, mais il y a deux ans, ton frère est mort. Tonton est parti comme il a vécu son existence : en silence. Sans bruit, il a construit son monde. Son visage fermé et ses humeurs impassibles ne lui ont pas permis d'avoir une vie relationnelle. Le lien social était assuré par tata. Avant de gagner son paradis, mon oncle m'a laissé un gentil mot d'amour. C'est la seule et unique fois où il a exprimé un sentiment affectueux envers moi : je prends ! Tout au long de ces années, j'ai gardé soigneusement ce pli.

*Maman*, tata fait des siennes ! Elle ne supporte pas le départ de son mari : elle fait une tentative de suicide. Tata se retrouve à l'hôpital, très affaiblie : elle a fait une surdose médicamenteuse. Après la prise de ces cachets, elle avait prévu de se couper les veines, mais le sommeil l'a attrapée avant… Je lui en veux beaucoup. Comment puis-je comprendre qu'une femme aussi sûre d'elle veuille périr ainsi ? En effet, elle prenait toujours les difficultés à bras-le-corps, chantait à tue-tête et elle nous chapitrait, mon oncle et moi, pour des riens. Volubile, elle nous assenait de multiples expressions négatives toutes faites : elle avait toujours quelque chose à nous reprocher. De plus, elle radotait !

J'aurais dû comprendre, quand elle serinait à tout bout de champ : « J'ai fait un tour dans ce monde et je ne veux pas recommencer. » Elle priait le bon Dieu de ne pas l'envoyer à nouveau sur Terre. C'est vrai qu'elle ne dégageait pas le bonheur de vivre et sa vie ressemblait à une longue plainte de maux.

Malgré son comportement acariâtre et culpabilisant, elle demeurait mon seul lien familial. C'était la dernière survivante à avoir connaissance de toi, mais elle ne délivrait rien.

Du fait de notre éloignement géographique, chaque semaine, je recevais un coup de fil de sa part. Je n'en étais pas très heureuse : j'entendais bien trop souvent des critiques. Cependant, cette présence au téléphone me rappelait que j'intéressais quelqu'un…

Quand j'avais huit ans, je cherchais le contact charnel. Alors j'embrassais et malaxais les bras rebondis de tata. Je suis sûre qu'elle appréciait mais elle faisait mine que ça l'agaçait. Un jour où elle me repoussait vivement, j'eus l'explication à ses protestations : « Tu es déjà bien assez sensuelle comme cela, je ne veux pas développer plus ce sens. » Pourquoi ? La réponse est simple, elle confondait sensualité et sexualité. La pauvre ! Chaque fois qu'elle me chassait, je vivais âprement son refus à mes caresses. Je revenais à la charge régulièrement : je ne pouvais pas m'en empêcher, j'aimais sa peau…

Je n'étais qu'une enfant.

Un jour, *maman*, tata m'a fait pleurer, encore une fois… Mais là, c'était grave. Je devais avoir neuf ans. Lorsque je partais pour l'école, elle fermait la porte d'entrée puis trottait derrière moi. Sans m'en apercevoir, un papier replié est tombé de ma poche dans les graviers. Arrivée à l'école, j'ai croisé Paul : il m'a adressé un large sourire complice. Son petit mot m'avait profondément touchée et impulsivement, je décidais de le relire dans un coin protégé des regards indiscrets. J'ai eu beau fouiller frénétiquement la poche arrière de mon pantalon, je ne trouvais rien. Déçue, je décidais de me remémorer le contenu : « Fabiola, je voudrais te faire un bisou, mais je ne sais pas si tu es d'accord. Je t'aime. Paul. »

Le soir après la classe, c'était l'étude pour tout le primaire. Tata nous surveillait. Les élèves rentraient silencieusement dans la classe et nous nous installions à une table pour commencer nos devoirs. Debout sur l'estrade, tata tenait dans ses mains mon petit papier blanc… Catastrophe, elle l'avait lu ! Le rouge est monté à mes joues. Honteuse, je me ratatinais sur ma chaise et cachais ma tête dans mes mains. D'une voix forte et ironique, tata a entonné le petit texte de mon amoureux et elle détachait avec soin chaque faute rencontrée : « Fabiola, je voudré te faire un bisou met je ne sai pas si tu ai dacord. Je t'aime. » Tata a terminé son allocution par : « Ce pauvre Paul, on se demande ce qu'il peut bien fabriquer à l'école. » Puis, elle m'a fusillée du regard pendant que tous les autres enfants ricanaient et se moquaient de moi. À cet instant, j'ai haï ma tante. Je ne lui pardonnerai jamais cette intrusion dans ma vie intime ni les railleries dont elle ne s'est pas privée pour détruire mon premier amour : une amourette d'enfants… Elle ne me rendra jamais le mot de Paul. Ni elle ni moi, nous ne parlerons de cette affaire. Tata avait gagné la partie en m'humiliant. Paul et moi, nous n'avons jamais plus osé nous parler. Dis, *maman*, m'aurais-tu laissée aimer ce petit garçon ?

Plus tard, alors que je vivais avec père, j'allais rejoindre, chaque été, mon oncle et ma tante. Lorsque j'arrivais chez eux, tata était dans des prédispositions avenantes. J'avais droit à une infinie de : « Ma chérie » et à des paroles douces et posées. Aussi, elle m'embrassait souvent la main. Puis, le lendemain, elle revêtait son costume sardonique et j'absorbais un déluge de critiques amères jusqu'à la fin des vacances. Son humeur avait basculé dans l'aigreur.

Au moment où je rentrais à Bordeaux, elle versait toujours une larme. Je ne comprenais rien, la veille, j'en avais pris plein mon grade !

Connaissais-tu ta belle-sœur sous ces angles-là, *maman* ?

Quand tata apprend mon internement en clinique psychiatrique, elle me propose des solutions : « Force-toi ; oblige-toi… ; fais ceci, fais cela… » Elle me renvoie systématiquement à mon incapacité à exécuter des tâches simples. Dès lors, je croule sous ses remarques et profondément, je culpabilise de me mouvoir avec difficultés. Une fois de plus, j'ai honte de moi : j'ai commis une faute, mais laquelle ?

Même adulte, ses avis et ses remontrances ont toujours un pouvoir sur moi : ils me poursuivent, chaque jour, comme des règles de conduite sacrées.

Mon handicap dénigré, je n'ai qu'une seule alternative : je décide quinze jours après ma sortie de la clinique et contre avis médical de reprendre le travail. J'ai ainsi l'impression de recouvrer le cours normal d'une vie ordinaire. Je tiens absolument à me reconsidérer et ainsi pouvoir me regarder dans le miroir sans y voir mon reflet me calomniant de bonne à rien. Ainsi, la tata sera satisfaite…

J'ai un trajet d'une heure quinze pour aller au lycée. Bien trop médicamentée pour conduire, c'est une collègue qui m'amène. Très anxieuse, je reprends mes cours. Ma fragilité se lit sur mon visage et je cache du mieux que je peux mes mains qui tremblent (effets secondaires des médicaments). À cette jeunesse assise en face de moi, rien n'échappe ! Comme ils me connaissent depuis deux ans, leur attitude est plutôt affable : je les remercie. Cependant, après quelques heures de cours, dans la salle des professeurs, je m'écroule sur la table. Je suis exténuée. Sans vraiment comprendre mon état, mes collègues m'entourent d'attentions : ils sont bienveillants.

Je suis suppléante et pour la troisième fois, je tente le concours de professeure. C'est un lundi. Dans une salle, je suis assise face à un bureau et je m'escrime à composer sur ma feuille blanche des notions de droit, d'économie et de gestion. Je ne suis pas très concentrée : je pense à tata… Cette dernière a développé un cancer du pancréas et ses jours sont comptés. Dès que je relève la tête de ma copie, je me demande : « J'y vais ou je n'y vais pas ? » Tellement obnubilée par la notion de devoir qu'elle m'a inculquée, je me dois de courir à son chevet. Mais je souhaite aussi sauver ma peau et je ne suis pas tentée de veiller une mourante. Mais qui va le faire, puisque je suis sa seule parente ?

Avant de terminer ma dissertation, je décide de partir à Nice pour la rejoindre. Je me sens tellement redevable vis-à-vis d'elle : elle m'a élevée pendant deux ans. Par ailleurs, une de ses litanies préférées est : « Après tout ce que j'ai fait pour toi, voilà comment tu me remercies. » Ou encore : « Fais plaisir à Bertrand, il te le rendra en caguant. » Dans tous les cas, je ne la congratule jamais assez ou ce n'est pas en adéquation avec ses attentes.

Elle est transportée de l'hôpital à son appartement et je vais la veiller. Cette veille dure trois longs jours et nuits. Quand je l'observe allongée au milieu du salon sur un lit médical, je prends vraiment conscience que c'est la fin. À mon arrivée, ses prunelles se sont ouvertes et un large sourire m'a accueillie. Elle prononce quelques mots inaudibles et elle ferme les yeux pour ne plus jamais les ouvrir. Elle m'attendait pour partir. À cet instant, seulement, je comprends à quel point j'étais une personne importante pour elle : j'étais comme sa fille…

Cependant, il était tellement facile de croire le contraire, tant elle me malmenait verbalement. Elle serinait à qui voulait bien l'entendre : « Si j'avais eu une fille, je ne saurais jamais si cela n'aurait pas été pire que Fabiola. » Chaque fois, cette phrase me brisait : pour elle, je n'étais jamais à sa convenance ! Il y avait un univers entre ce qu'elle lâchait avec sa langue de vipère et ce qu'elle ressentait avec son cœur. Ce dernier, je le connaissais si peu : elle ne l'ouvrait guère. Tata était frustrée et amère : elle n'a jamais pu avoir d'enfant.

Je suis à ses yeux un pastiche de sa fille fantasmée...

Et toi, *maman*, que penses-tu de ta fille ?

Je songe souvent à un dialogue à cœur ouvert entre nous. Puéril fantasme. Je ne sais pas qui tu es ! Depuis tant d'années, je ne te reconnais plus... Je n'ai plus face à moi tes pupilles chocolat pour recueillir la profondeur de tes sentiments pour moi.

Je n'avance pas, je patine...

Personne ne pourra te remplacer, *maman.* C'est affligeant, mais aucun substitut parental n'a pu apaiser ta perte. Père fut un piètre parent et les figures maternelles n'ont pas tenu la route : elles n'ont été que de passage...

Naïvement, dès mon enfance, j'ai transféré tout l'amour que j'avais pour toi, *maman*, à la tata. Elle n'en a pas voulu ou a été incapable d'en apprécier la teneur. Dès lors, j'ai gardé tout mon amour pour toi, insaisissable fantôme ! Cet amour n'a pas grandi : il a toujours huit ans d'âge, quand j'en ai quarante-trois.

Vers la fin de la vie de tata et lors de nos derniers échanges téléphoniques, son ton se radoucit et elle lâche quelques mots affectueux et des regrets. Comme pour père, ils arrivent trop tard : je ne les entends pas. Je me suis bâtie avec sa morale religieuse qui prône des discours culpabilisants et prépare à une vie où le plaisir est absent : jouir de la vie est péché.

Enfin, là, la tata est morte ! Du coup, je me sens dégagée de ses schèmes. Ouf, elle n'est plus là. J'ai mis un certain temps avant d'accepter mon sentiment de soulagement puis je l'ai transformé en sentiment respectable. Sa disparition est, pour moi, une délivrance.

Je ne reçois plus de coups de fil hebdomadaire du genre : « Ton père est en train de mourir et tu ne vas pas le voir : tu es sa fille, c'est ton devoir ! » À cette déclaration insolite, j'ai failli lui raccrocher au nez : elle haïssait père et le critiquait toujours avec vigueur. Désemparée, je ne savais pas quoi rétorquer. Elle voulait m'obliger à rendre visite à cet homme mourant qu'elle a toujours qualifié de monstre. C'est totalement absurde, mais chez tata tout ce qui tourne autour de la mort est sacré ! Lorsque je lui rends visite, je suis toujours craintive d'amener mes enfants. Systématiquement, elle s'en prend à eux : ils ne sont jamais conformes à ses aspirations.

Tata a donné une gifle à ma fille qui pleurait parce que je n'étais pas là : ma gamine n'arrivait pas à s'endormir sans moi. À un repas de famille, tata a écrasé un gâteau sur la figure d'Amandine : cette dernière prenait trop de temps pour choisir une pâtisserie. La tata exigeait d'eux la perfection d'un enfant qui ne pleure pas, qui ne crie pas et qui reste sagement assis avec un livre. Mes petits avaient du mal à l'approcher : elle leur faisait peur. Dorénavant, je n'aurai plus à subir ces infamies sur ma progéniture. C'est fini !

À l'avenir, je n'aurais plus à la remercier pour ses cadeaux. Elle nous achetait, les enfants et moi. Par son fric, elle croyait attirer notre gratitude. Tous les mois, elle me versait une petite somme. Grâce à cette générosité financière, elle pensait avoir la main mise sur moi. Elle se trompait. J'ai renvoyé ses chèques pour qu'elle comprenne que je préférais me débrouiller seule et ainsi n'avoir aucune dette envers elle. Cependant, la dette, je l'avais : tata m'avait soignée, nourrie et éduquée. Il fallait que je paye en venant la voir et en répondant à ses appels téléphoniques hebdomadaires.

Pourquoi le faisais-je, *maman* ?

Je suppose que je préférais avoir une relation familiale aussi désastreuse que celle-là, à rien… Et puis elle me dominait. Avec toutes ses suggestions moralisatrices accrues par le devoir avant le plaisir, j'étais bien formatée. Prisonnière de ses règles, intérieurement, je menais une dure bataille entre ses instructions et mes propres idées.

*Maman*, je suis sûrement injuste. Tata avait des qualités certes, mais elles étaient professionnelles ou sociales. Institutrice, elle animait ses cours avec minutie et les jeunes enfants lui rendaient bien. Lorsqu'elle recevait à la maison, elle se mettait en quatre pour cuisiner des plats délicieux. La table était toujours joliment décorée et le service était parfaitement coordonné. Elle savait répondre à n'importe quel sujet lancé : elle était vive et directe. Aussi, elle était drôle et riait de bon cœur aux blagues de ses amis. Elle était un personnage haut en couleur avec les autres et un personnage sombre et despotique avec ceux qui lui tenaient le plus à cœur. Pauvre femme !

J'ai quarante-deux ans, j'apprends ma réussite au concours de professeure : j'ai terminé seconde sur tout le territoire. Une brève fierté m'a envahie. Je n'ai pas pu jouir de mon succès comme il se doit, tant je suis accrochée au regard des autres et surtout à celui de la tata. Voilà qu'au moment où je parviens à un succès convenable pour la tata, elle n'est plus là…

Je trouve mon ascension sociale ironique et amère.

J'ai cinquante-trois ans : la tata est encore omniprésente dans ma vie de tous les jours. Des années après son décès, je suis toujours sous son influence. Jaillissent naturellement des réflexes de vie et des idées de son cru. Ils ordonnent encore mes pensées et mes actes. Je me bats encore pour soulager mon esprit de ses schèmes. Je dois les analyser, les raboter, voire les supprimer pour être en harmonie avec ma conscience morale.

Ça y est *maman*, je suis en pleine crise d'adolescence : je réfute tout ce qui vient de tata ! J'ai dépassé la cinquantaine : je suis très en retard…

Tout de même, je me sens beaucoup mieux : je ne suis plus l'esclave de ses récriminations. Ma cuisine est moins entretenue, mes vêtements rarement repassés et je profère de gros mots ! Sans culpabiliser et sans une once de honte, je pense à l'amour et au plaisir. Sans frein, ma sensualité ne se lasse pas de s'épanouir.

L'unique mérite à cette relation avec la tata, de quarante ans de vie, c'est qu'elle était bien réelle. A contrario de toi, *maman*, qui n'est qu'un mirage sans fin…

*Maman*, tant que je te pleurerai, tu demeureras une vivante morbide.

Lorsque mes larmes seront taries, tu mourras pour de vrai !

## Lutte impitoyable

Sans pitié, ma maladie invisible surgit à nouveau, gratifiée d'une énergie dévastatrice. J'ai quarante-six ans et je suis plus que jamais égarée dans les méandres capricieux de mon cerveau.

Je crains, *maman*, que personne ne puisse rien pour moi. Ton soutien me manque. Des petits mots encourageants, des caresses sur ma joue seraient les bienvenus en ces temps où pour moi vivre devient périlleux.

C'est un matin, je me prépare et je m'apprête à partir au lycée. J'ai mon cartable en bandoulière et mes chaussures aux pieds. Au lieu de m'avancer vers la sortie, je m'assois sur les marches blanches de l'escalier. Prostrée, je reste là, les yeux dans le vague et je ressasse : « J'y vais ou je n'y vais pas ? » J'essaie de soulever cette lourdeur qui ceinture mon corps. À peine debout, je me laisse, à nouveau, choir : je ne peux plus bouger… C'est foutu, je n'irai pas !

Des larmes de honte s'écoulent silencieusement, je suis incapable d'aller travailler. Je ne pourrai pas faire face à cette jeunesse exubérante alors que je n'ai même pas le courage de décoller mes fesses de l'escalier. Je pressens que je vais m'absenter pour longtemps : je bascule alors dans une panique démesurée. Dévorée par une agitation anxiogène, je subis une indigestion de pensées suicidaires. Que vais-je devenir ?

Ne pas aller à la rencontre de mes jeunes élèves signe l'arrêt d'une vie ordinaire : je le sais. Habituellement, professer livre à mon regard un ciel plus avenant. Cela paraît contraire, mais ce métier éreintant me repose l'esprit. Cependant, il me faut un minimum d'énergie et de lucidité pour enseigner. Je les ai perdues : ma confusion mentale étouffe mes pensées.

Quand je fais le constat de mon inaptitude à travailler, le déshonneur me dévore. Lorsque je sombre dans ce désappointement, j'appelle toujours Thierry au téléphone pour qu'il me secoure en m'assurant de son amour pour moi. Ce qu'il tente, mais je suis sourde à la tendresse de ses mots : ils ne pénètrent pas mon esprit embrouillé. Mes pleurs redoublent et c'est dans une cascade bruyante de larmes que Thierry me propose un nouvel internement. De nouveau, je serai cloîtrée, cinq semaines, dans une clinique psychiatrique, lieu où végètent les torturés du ciboulot. Je n'ai pas le choix, j'irai ou je vais mourir…

À cet instant, un besoin impérieux me traverse : éclater ma tête contre un mur pour ne plus entretenir ce discours intérieur négatif. Ce temps passé à radoter encore et encore ces mauvaises pensées est interminable. Mon cerveau ne me donne aucun répit : j'ai l'impression qu'il est en surchauffe ! Dans une longue plainte, je me répète : « Je pense trop, sans savoir quoi faire de toutes ces réflexions. » Comment font les autres qui semblent être maîtres de leurs idées ? Il règne un tel fouillis dans ma tête que je ne sais plus comment reprendre le dessus et recouvrer une forme d'apaisement. Mon bulbe mouline sans interruption ! Arrêter de penser est impossible : il n'y a pas de remède miracle ni de bouton « stop ». Une idée en fait jaillir de nouvelles qui à leur tour en font exploser d'autres. Pour contrarier ce moulinet à idées nocives, d'autres mots doivent intercéder et ces derniers ne peuvent venir que de l'extérieur ; or je suis seule avec moi-même…

Au secours, *maman*, ne me laisse pas toute seule. J'ai un besoin irrépressible d'entendre ta voix ! Je suis sûre qu'elle calmerait l'impétuosité de mes divagations anarchistes.

*Maman*, hier comme beaucoup de soirs, j'étais allongée sur le divan, j'attendais Thierry. Pendant cette journée où il travaillait, il fallait que j'occupe douze heures de ma journée, seule. J'ai traîné ma carcasse ici et là sans rien entreprendre. J'ai gobé la télévision et j'ai dormi pour me fuir : c'est tout. Je n'ai pas lavé la vaisselle ni donné un coup d'éponge sur la table : la honte !

Thierry est arrivé et calmement, il est venu s'installer à côté de moi sur le canapé où j'étais étalée comme une loche. Il entame un dialogue :

« Ça ne va pas fort, hein ?

— Non.

— Veux-tu que je prépare quelque chose à manger ?

— Si tu veux. »

Thierry prêt à se lever, part pour la cuisine. Je le retiens avec force. Je souhaite sentir sa présence et me fondre dans ses bras. Je ne veux pas qu'il me quitte même quelques minutes ni même qu'il s'éloigne de moi de quelques mètres. J'implore ses mots (n'importe lesquels) pour occire les miens et conserver la chaleur de ses mains dans les miennes. J'ai tant besoin de me sentir vivante !

Sur ce même canapé, seule, je mène des luttes impitoyables : en vain… Avec brutalité, je me tourne et me retourne pour inciter de nouvelles et fraîches idées à jaillir. Je me bats avec violence contre moi-même. Si toutefois une pensée positive se fait jour, je l'annihile dans la minute qui suit : c'est totalement absurde et involontaire. L'esprit est une chose puissante. En une seconde, il peut élever ou écraser mon humeur. Là, je suis laminée par mes idées noires…

La nuit, *maman*, mes rêves ont la même couleur sombre que mes rêvasseries diurnes : ils me traquent jusqu'au matin. C'est ainsi qu'au lever, je suis abasourdie par mes cauchemars et le lever est très difficile, voire impossible. D'un mouvement d'impuissance, je bascule de l'autre côté du lit et je m'enfouis sous les draps pour ne pas vivre la journée à venir. Dans tous les cas, je sais qu'elle sera à l'identique de la veille : elle me fera souffrir d'un mal indescriptible. Je n'arrive plus à exister dans le présent : mes regrets relatifs à mes souvenirs passés prennent toute la place. Je suis devenue une nostalgique compulsive !

Il va falloir, *maman*, que j'apprenne à te dire au revoir, mais là, j'en suis bien incapable.

La peur me gagne : il faut absolument que je me soigne. Je n'ai qu'une alternative : accepter et vivre avec la maladie ! Je n'y arrive pas : je me sens fautive de ne plus savoir me lever et marcher alors que je suis dotée de tout l'équipement. Avec de la volonté, il est évident que je devrais réussir à sortir de cette impasse ! Seulement, ma détermination à exister s'est carapatée dans une autre galaxie : ici, elle n'existe plus.

*Maman*, je ne sais pas si j'aimerais entendre tes réflexions sur mes soucis de santé. Me trouverais-tu comme certains, une fainéante qui se complaît dans l'inaction ? Est-ce que tu m'accablerais de ces petites directives : « Tu t'écoutes trop ! » ; « Tu te laisses aller… » ; « Dis-toi des choses positives ! » ; « Secoue-toi ! » ; « Il y a pire que toi ! » ? Ces petites phrases me blessent avec une telle force que je me plongerai bien dans un trou pour ne plus entendre ces formules. C'est comme si l'on disait à un hémiplégique : « Lève-toi et marche ! »

Comprendrais-tu que j'ai des périodes où me laver est ardu ? Je suis restée plusieurs jours sans qu'une goutte n'effleure ma peau. La simple idée de prendre une douche m'accable et me préparer à manger devient grotesque : je préfère ne rien avaler. Serais-tu à même d'accepter d'entendre dire que ta fille n'amorce aucune tâche ni activité ? Tellement écrasée par toutes sortes de pensées parasitaires, je n'arrive pas à passer à l'action même si cette dernière est une obligation. *Maman*, je procrastine à tout-va !

Avec ton amour de maman, tu me proposerais sûrement :

« Qu'est-ce qui te ferait plaisir ? » Invariablement, je te répondrais : « Rien. » L'attrait pour obtenir du plaisir m'a lui aussi quittée. Je suis devenue une personne sans volonté et mon impuissance « à faire » détruit le peu d'estime de moi : je me déteste !

*Maman*, personne ne comprend ma souffrance, personne n'entend que j'ai besoin de soutien pour vivre…

S'il te plaît, aide-moi, *maman* ?

Voilà dix ans que je suis diagnostiquée dépressive. Je prends des psychotropes et je suis une thérapie avec une psychologue. Aussi, je consulte tous les mois un médecin psychiatre. Lors d'un de nos entretiens mensuels, elle s'étonne de ne voir aucun progrès dans mon affection, et ce, depuis une décennie. Nous sommes face à face :

Madame, je crois que nous avons commis une erreur de diagnostic.

Je suis interloquée et je l'écoute avidement. Elle reprend :

— À chaque fois que vous vous retrouvez en vacances, vous subissez une vague dépressive. Lorsque vous enseignez, votre état s'améliore…

En effet, lorsque je suis au travail, je ne pense pas. Les demandes continues de mes élèves ôtent toutes ruminations.

Comme par enchantement, lorsque je suis face à eux, la volonté et l'énergie m'inondent. C'est un merveilleux instant qui repose ma machine cérébrale. Lorsque je suis seule chez moi, je sombre…

— C'est bien pour cela que je pense que vous êtes atteinte de bipolarité.

— Qu'est-ce que c'est ?

Je m'énerve et m'agite sur ma chaise ! De nouveau, je pars pour l'inconnu et cela m'affole.

— C'est une alternance de phases d'excitation et de dépression.

— Oui, mais encore ?

Je suis sceptique. Je ne comprends plus rien. Elle reprend :

— La phase d'excitation se manifeste par un état d'euphorie, une abondance de projets, des idées de grandeur, un comportement désinhibé avec des conduites irresponsables et des insomnies sans pour autant se sentir fatigué. Quant à la phase dépressive, elle est caractérisée par une fatigue chronique, de la tristesse, des idées noires, et une difficulté à faire les choses. De plus, on observe une totale absence de plaisir dans les activités habituellement agréables. On constate aussi la perte d'estime de soi avec souvent des idées suicidaires.

Je suis perplexe, je trouve beaucoup de similitudes avec mon comportement. Je rétorque :

— Je n'ai pas de conduites à risques mais effectivement, je suis insomniaque et chez moi, je travaille mes cours ou j'écris pendant des heures durant sans ressentir la fatigue. En effet, je suis exaltée dans ces moments-là : je deviens inventive et mes idées sombres sont enfouies sous ma créativité. Pour l'autre phase où je ne suis capable de rien, c'est comme la dépression, non ?

— Tout à fait. Vous avez bien résumé. Je vais donc vous prescrire des médicaments plus adaptés. Ils vous permettront de réguler vos humeurs afin que vous soyez à la fois moins exaltée et moins dépressive.

— Pourtant, « exaltée », c'est très, très agréable.

— Certainement, mais cela épuise votre psychisme et amène inévitablement à la phase dépressive. Il faut tout calmer !

Je ressors de cet entretien, enragée par tout le temps (dix années) qu'il a fallu pour détecter mon véritable trouble psychique. Cependant, une nouvelle fenêtre s'ouvre sur l'espoir… Jusqu'à ce jour, je n'avais pas beaucoup évolué. Avec ce nouveau diagnostic, peut-être que je pourrais prétendre à un mieux-être.

Qu'en penses-tu, *maman* ?

Tout de même, je chemine avec cette nouvelle étiquette, « bipolaire », sans trouver de réponse à ma sempiternelle question : « Qu'est-ce qu'il y a dans ma tête qui me fait autant souffrir ? »

Par deux fois, je retourne en clinique psychiatrique. Je suis tellement abîmée et suicidaire qu'un environnement sécurisant est nécessaire. Durant trois années, je ne travaillerai plus. Ce sera un désastre, l'inactivité ! Je perds la seule lueur qui perçait mes journées noires : œuvrer avec mes élèves. Cependant, je suis affaiblie psychiquement et je risquerais sous une contrariété quelconque de m'écrouler devant mes jeunes : quelle horreur ! De plus, ma médication amène des effets secondaires : mes mains tremblent et l'intérieur de ma bouche me brûle. J'ai, aussi, déclenché une phobie : je ne peux plus conduire. Je suis fatalement cloîtrée à la maison, seule avec moi-même : ma pire ennemie !

Lors d'un séjour en clinique, une jeune psychiatre te remplacera temporairement, *maman*. J'ai cinquante ans. Elle prend soin de moi comme d'une enfant fragile : elle écoute mes jérémiades avec bienveillance et elle me médicamente consciencieusement. Je lui accorde une confiance béate. Docilement, j'accueille ses certitudes même les plus folles quant à un avenir meilleur pour moi. Quand la séance est terminée, la porte se ferme sur ses salutations. Je suis déchirée. Elle ne sera plus là pour m'assurer d'une vie plus clémente.

Cela fait quatre ans qu'ensemble nous claudiquons vers un objectif : l'apaisement. Cependant, je ne vois toujours pas le bout du tunnel, alors mes certitudes toutes fraîches s'écroulent. Certes, les rechutes sont plus rares, mais elles sont vécues démesurément ; elles sont de plus en plus intolérables : je les redoute ! Je suis affolée qu'elles puissent survenir à tout moment. De fait, le moindre sentiment de malaise qui pourrait perturber mon fragile équilibre mental m'effraie : j'en connais trop bien les conséquences désastreuses. Indubitablement se pointe l'envie irrésistible d'une issue fatale comme remède à ce cauchemar quotidien. Chaque jour passé, je le vis avec une épée de Damoclès au-dessus de la tête.

Parfois, Thierry arrive à transformer ou à écluser mes délires morbides. Sa présence à mes côtés peut suffire à me laisser entrevoir un rayon de soleil. C'est vivifiant et lénifiant… Quelques instants plus tard, mes automatismes mentaux surgissent à nouveau sans n'avoir rien imprimé de positif : j'ai déjà tout oublié !

Quand je réalise ce que je suis devenue : une personne amorphe, vidée de son énergie et désertée par le désir, je suis brisée… Tous ces tourments, j'ai envie d'y mettre un terme et je formule mentalement une multitude d'allusions à la mort :

« À quoi bon…

La vie ne vaut pas la peine d'être vécue si c'est pour souffrir autant.

À quoi bon continuer à me battre ?

Tout serait plus simple si je disparaissais.

*Maman*, je veux te rejoindre… »

*Maman*, je ne réussis ni à vivre ni à mourir.

Cependant, je ne me tue pas ! J'ai un instinct de survie qui me tient éveillée. Pour m'aider, je côtoie de plus près un ami : l'alcool ! C'est un bon anxiolytique qui me procure un effet de bien-être. Je ne deviens pas alcoolique au sens propre du terme : je ne bois pas quotidiennement, mais lorsque je festoie, j'ingurgite du vin jusqu'à être grisée et j'oublie mes ruminations. Pfft, elles disparaissent par magie ! Je n'hésite pas à me saouler en soirée : je vis, ainsi, une brève rémission… Alors, je programme à tout-va des opportunités festives. Mon entourage ne voit pas d'un bon œil mon coude se lever aussi fréquemment pendant une soirée. Je passe par une étape où je suis drôle et vive puis par une autre où je suis pathétique : je pleure et je t'appelle, *maman*… Désemparés, ceux qui m'accompagnent jugent, critiquent et la plupart s'éloignent de moi. Je récidive quand même : c'est trop bon de s'oublier, même un bref instant !

J'arrêterai l'alcool : je paye bien trop cher chaque cuite. Le lendemain, au réveil, mon état mental est encore plus affecté et cela dure toute la journée : mon mal de vivre est accru !

*Maman*, il est dit qu'il faut être bien entouré pour survivre à cette maladie : la bipolarité. L'environnement est primordial pour sortir de ce gouffre.

Où es-tu, *maman* ?

Je suis épaulée par mon médecin psychiatre une heure par semaine et j'ai les tendres attentions de Thierry le soir et le week-end. Le reste du temps, je suis complètement dominée par des réflexions négatives qui surgissent inopinément : je suis alors piégée dans mon mental. Je prends vraiment conscience que mes songes sont omniprésents et tout-puissants. C'est alors que je fais ce constat effrayant : mes pensées me rendent malade…

Qu'en penses-tu, *maman*, de cette définition : souffrir à cause de ses pensées ?

Je l'ai compris lors d'évènements tragiques. Je regardais en boucle l'attentat de Charlie Hebdo. Je ressentais une sympathie pathologique pour les victimes et leur entourage. Je ne comprenais rien à cette boucherie : j'en étais obnubilée. Cette obsession m'a permis de dévier mon esprit tourmenté sur un drame : Charlie Hebdo ! Depuis fort longtemps, je n'étais recentrée que sur moi-même. Bien sûr, je n'ai pas choisi un divertissement heureux mais plutôt tragique, reflet de mon âme. Du coup, je me suis écœurée de moi : je n'étais capable que de chercher la vitalité dans la morbidité.

*Maman*, un espoir pointe le bout de son nez !

Une solution inattendue pour tenter de remédier à mes marasmes continus naît. Je l'attrape au vol et je m'accroche désespérément à elle : je ne la lâche plus ! Afin de me sauver, je vais jusqu'au bout du défi. J'y crois tellement, qu'aux prémices de cette nouvelle aventure, je suis déjà pleinement engagée et la noirceur de mon âme se dissipe un peu.

J'ai eu le bonheur de découvrir Daniel Sévigny auteur entre autres de : « Les clés du secret ». Cela m'a permis d'entrevoir que j'avais en moi le pouvoir de combattre ce qu'il appelle : le Saboteur. Ce nom est donné à mon mécanisme de pensées autodestructrices. J'apprends alors qu'une pensée positive est toute aussi puissante qu'une pensée négative sur notre réalité du moment. Le principe est de stopper toute idée négative dans son élan, puis de la remplacer dans la seconde qui suit par une autre bien plus positive et motivante. Je m'accroche à ce concept comme à une bouée de sauvetage. C'est un avenir plus clément qui s'ouvre devant moi... Dès lors, je décide de m'affronter en un duel serré. Je dois résister au confort de laisser libre cours à mes pensées. Pour cela, je m'attelle à les observer pour coincer les plus noires. Je me prépare mentalement à les affronter. Quand elles surgissent, je soupèse leur maléfice : « Vont-elles me faire souffrir ; vont-elles me détruire l'instant présent ; vont-elles m'anéantir au point de n'être plus qu'une loche ? » Si tel est le cas, j'engage rapidement une bataille pour les effacer. J'ai pris conscience de leurs nuisances et je vais mener une joute contre elles : la guerre est déclarée ! L'ennemi à anéantir est difficile à occire : les pensées primitives reviennent à l'assaut et continuellement (chaque seconde). L'échauffourée pour m'opposer à elles devient une partie de ping-pong, la balle étant mon cerveau. Au début de cet exercice mental, j'ai dû violemment forcer pour faire appel à ce mécanisme conscient qui permet toutes les secondes de gérer mes pensées. Accablée, je n'ai pas gagné chaque bataille : je me laissais aller... et je souffrais. Après quelques années, elles sont plus rares à avoir la prétention de m'anéantir : je suis sur le qui-vive ! Je les attaque avant même qu'elles aient commencé leur offensive. Enfin, j'ai une solution en main pour atténuer cette horreur mentale.

*Maman*, mon esprit devient plus léger...

Je pense moins. Peu d'images putrides viennent parasiter ma conscience. Cela laisse la place à la volonté pour s'exprimer. Après avoir passé treize années à souffrir, je ne sais pas si je retrouverai ma joie de vivre d'antan. Aujourd'hui, mon attention se porte à nouveau sur le « merveilleux » observé par mon regard : je suis plus facilement ébahie. Plus fréquemment, je ne suis plus l'otage de mon cerveau.

*Maman*, vois-tu ma maladie me paraissait immuable et pourtant, il semble qu'un nouveau souffle de vie revient : je respire à nouveau.

J'aurai toujours en moi des faiblesses : cette maladie est incurable ! Il faut être prudente et poursuivre cette activité : gérer mes pensées. C'est impératif ! Bien accompagnée par Thierry, celui-ci se révèle rassurant, aidant et compréhensif. Son soutien évolue à mesure que je gagne des rounds contre la bipolarité.

J'ai repris le travail à mi-temps, je ne peux pas plus. Reconnue travailleuse handicapée, je prends ce statut comme une reconnaissance sociale. J'ai besoin d'avoir cette place de handicapée dans la société. *Maman*, il n'y a rien de pire que la non-reconnaissance de ce que je suis : une handicapée mentale. Cette maladie invisible dont tout le monde ignore les origines, mais aux conséquences souvent mortelles vaut bien une étiquette « handicapée », non ?

*Maman*, tu ne pourras jamais plus prendre soin de moi. Ce n'est pas grave, d'autres que toi sont là pour me soutenir : les empathiques.

*Maman*, je n'ai plus envie de mourir, j'ai envie de vivre !

# Maman

*Maman,* j'ai un aveu à te faire. Ce n'est pas facile, j'ai l'impression de te trahir. Voilà, je ne souhaite plus jamais penser à toi ! Cela se termine forcément mal : tu finis toujours par mourir…

La rareté de mes souvenirs sur toi ne me permet pas de me représenter le personnage que tu étais et que j'aimais. Ton visage est une énigme et le son de ta voix m'est totalement inconnu. Je n'ai plus en mémoire notre aventure de huit années. Donc, à quoi bon ?

Écoute, *maman*, les dialogues arrangés par ma mémoire qui subsistent :

« Maman, je te jure que je ne l'ai pas fait exprès. Je croyais être sur les toilettes. C'est pour cela que j'ai mouillé mon lit. Non, maman, je t'en supplie, pas le bâton vert ! »

« J'ai raclé les radis pour te faire plaisir. Maman, pourquoi tu me grondes ? Ne crie pas si fort ! Ah, tu as eu peur que je me blesse avec le couteau. Mais je suis grande, maman, j'ai six ans ! »

« Je n'aime pas la soupe à la citrouille, pourquoi tu m'obliges à l'avaler ? Pour que je grandisse ? Mais je veux rester petite et tout le temps avec toi. »

« Tu sens bon, ma maman. »

Quatre chétifs souvenirs… C'est tout.

Voilà, ce que tu m'as laissé : ta démission maternelle…

C'est l'effet papillon : ta maladie mortelle a laissé place à un enchaînement de drames.

*Maman*, tout ce qui m'arrive est de ta faute !

J'ai sept ans, je suis au fond de mon lit. Soudain un bruit de claquement de portes ! J'entends des voix inconnues. Je me précipite dans les escaliers de marbre, toutes les lumières sont allumées. Je descends quelques marches et par-dessus la rampe, je t'aperçois, *maman*.

Moitié dévêtue et allongée sur un matelas en mousse, tu gémis dans la petite pièce grise. Tu trembles de tous tes membres. Mon regard dérive sur ces inconnus à blouse immaculée qui descendent du camion rouge. Il ressemble à celui avec lequel joue mon frère et qui fait pin-pon quand on appuie sur le bouton bleu. Je ne comprends rien à cette mise en scène et mon cœur se serre quand ils te transfèrent sur la civière blanche. Je veux me précipiter vers toi, mais on m'en empêche. Je voulais juste caresser ta main pour que tu cesses de trembler. Je ne veux pas que tu t'en ailles avec ces inconnus. Reste, *maman*, reste !

Je commence à mouliner mon esprit à vitesse grand V. Je spécule avec force ! « Où es-tu ? » La maison est devenue un désert sans toi. Seul reste un cactus effilé : père.

Là, où tu es, je veux te visiter, mais je n'en ai pas le droit. Pourquoi ?

Je sais que tu es malade, mais tu vas guérir : moi, je guéris toujours de mes rhumes.

Tu vas revenir, n'est-ce pas ?

Tu es une vilaine maman d'être partie.

Qui va me préparer mon petit-déjeuner avec un cachet d'ultra-levure infect ?

*Maman*, père ne sait rien faire…

Je passe des mois sans toi et sans comprendre ce qui arrive à mon cœur d'enfant : tu me manques férocement.

Te revoilà belle comme une fleur, palpable à souhait et tu viens t'offrir à moi comme un présent. Je ne t'attendais pas : c'est une surprise ! Je suis si bouleversée de te revoir que je vais éclater de bonheur et faire tout disparaître de ma tête ce qui n'est pas toi. Je bondis hors de mon lit tout excitée. J'ouvre mieux les yeux pour profiter de ce moment de réjouissance. Enfin, tu es là !

Qui ? Quoi ? Qu'est-ce ? Je reçois une violente claque en pleine figure. Ma joie vole en éclats, mon ventre se serre et mes pieds se dérobent : ce n'était qu'un rêve…

« *Maman*, tu me rejettes, pourquoi m'envoies-tu si loin de toi ? Je ne veux pas aller chez tonton et tata. Ils me font peur. Je t'en supplie, ne me laisse pas partir avec eux. Qu'ai-je fait pour que tu veuilles que je m'en aille ? Je te promets : je serai sage et je ferai bien mes devoirs. Je t'écouterai maintenant. S'il te plaît, *maman*, ne me laisse pas là-bas. Je prendrai soin de toi. Je garderai tout le jus de ma viande pour le mettre dans ta perfusion. Je viendrai dans ta chambre te lire des histoires. Je te ramènerai de bonnes notes. Je caresserai la douce peau de ta joue. Et puis, je ferai bien attention aux machines autour de ton lit. Je te promets : je ne te fatiguerai pas. Garde-moi ! »

*Maman*, ils disent que tu es partie au ciel.

N'importe quoi !

Je ne t'ai pas vu depuis un an. Je garde toutes tes lettres à l'abri dans un tiroir. Quand mon chagrin est trop fort, je les relis : j'ai l'impression que tu es là avec moi…

« T'as vu, je t'ai fait des dessins avec plein de rosaces de toutes les couleurs ? »

« Te souviens-tu de ce collier de perles que j'ai confectionné pour toi ? »

Je ferai n'importe quoi pour te revoir…

Ils me répètent encore et encore que tu es morte. Ils m'expliquent qu'ils ont mis ton corps dans une boîte en pin. Non ! Je ne les crois pas et je ne pourrai jamais vérifier leurs dires. Alors, je continuerai à ne pas admettre que tu es partie ailleurs. Cela fait déjà un an que j'ai pris l'habitude de ne plus te voir, mais je t'aperçois encore dans ma tête quand je le désire.

Cela ne durera pas…

Ce n'est pas grave, j'ai plein de photos !

Je tourne les pages d'un album dédié à toi. Mon regard affûté détaille chaque photo et mon imagination programme une histoire pour chaque image. Je te fais vivre à travers elles. Avec avidité, je leur donne un sens aigu de véracité. Je parcours les pages où tu apparais petite, sans vraiment comprendre que tu aies pu être, toi aussi, une enfant. Tu es une adulte et ma maman : c'est tout. Le reste ne m'intéresse pas. Toi, en jeune fille : je m'attarde un peu plus sur ces clichés. Ta beauté m'apporte de la fierté et je ne peux pas m'empêcher de chercher une ressemblance entre toi et moi : j'ai tellement entendu dire que je te ressemblais. Cela crée un lien entre nous…

Tes enfants naissent : ta beauté s'affirme et sur l'une des photographies, j'observe ton tendre regard posé sur mon frère à peine âgé de quelques mois. Tu es là, vêtue d'une jolie robe fleurie : tu donnes le biberon à Éric. Pendant ce temps dans ton ventre, je pousse allègrement.

Sur une autre épreuve, j'ai trois ans. Tu es postée derrière moi dans une tenue magnifique et ta coiffure révèle l'éclat de ton visage. Je suis en extase : tu me tiens par la main. *Maman*, tu me touches là… Cette photo prouve que notre histoire n'est pas une chimère. Puis tu changes…

Ton visage est amaigri, tes yeux sont creusés, ton regard est terne et ton sourire est forcé. La maladie a dévasté ta beauté. Mon cœur est lourd et je te plains silencieusement. Nous allons rester sans toi et avec père : c'est la pire des choses qui puisse nous arriver.

*Maman*, tu es la principale responsable des drames qui vont suivre.

Ta disparition annonce le début d'une vie torturée : la mienne et celle de ma fratrie…

Éric se donne la mort. Sans ton amour, mon fragile frère n'a pas pu survivre à l'implacable autocratie de père. Tu équilibrais le déséquilibre paternel.

J'ai affronté une multitude de tragédies. Sans toi pour me soutenir, elles se sont transformées en terreurs diurnes et nocturnes.

Quand j'ai eu quarante ans, j'ai pensé stupidement que j'allais bientôt mourir : j'avais le même âge que toi lorsque tu as disparu. Mais avant de trépasser, je suis tombée malade tout comme toi !

Jusqu'où suis-je prête à aller pour te ressembler ? Jusqu'à mourir à mes quarante-deux ans ?

Nos maladies respectives sont tellement différentes. Et pourtant…

Ton corps était rongé par la douleur.

Mon cerveau était miné par des tourments.

Ta beauté fut atteinte.

Mon visage était terne et affligé.

Dans ta plus grande intimité, tu étais touchée.

Dans ma peau, tout n'était que malaises.

Tu ne pouvais plus aller à la selle : un tuyau remplaçait le bout de ton colon et s'écoulait dans une poche plastique.

Je n'avais plus de vie physique : elle ne m'importait plus. Mon corps n'existait pas.

Ta diminution physique a dû mettre ton moral au plus bas, toi si élégante et raffinée.

Je ne pouvais plus me lever, me laver : je demeurais alitée à tourner en boucle de sombres pensées.

Tout le monde te plaignait et compatissait à ta souffrance.

Par ignorance sur la gravité de ma maladie, je ne reçus aucune compassion.

Tu as murmuré à ta mère que mourir, cela t'était égal...

J'aurais pu te dire la même chose, *maman*.

*Maman*, où est la différence ? N'avons-nous pas souffert le martyre toutes les deux ?

Pour toi, ce sont des cellules qui se sont transformées en cellules anormales et elles ont contaminé les cellules saines.

Pour moi, ce sont les neurones qui sont en cause. Plus exactement, c'est l'information qui transite entre eux qui est déformée : la vision de la vie devient alors pathologique. C'est si compliqué que ça à comprendre, *maman* ?

*Maman*, je mène un combat pour survivre aux élucubrations de mon cerveau. Deux entités en moi se battent continuellement : celle de la petite fille traumatisée qui veut mourir et celle de la femme qui veut croquer la vie. Je constate que je suis en train de happer une pensée morbide : je construis, alors, une fiction affligeante et je commence à m'encombrer d'idées angoissantes. Malgré leurs malveillances, je me délecte de sentir en moi monter ces émotions. Je me sens, alors, vivante !

Depuis, je clame un : « NON ! » et je stoppe net le cours de cette invention inachevée. Je me sens puissante de m'être cloué le bec et je me sens indubitablement apaisée.

*Maman* fantôme, il faut que tu t'en ailles, maintenant.

De quoi ont peur les fantômes ? Je voudrais te chasser.

Je voudrais vivre avec les vivants, sans les autres : les morts…

Je ne veux plus avoir peur de demain à cause d'hier.

J'admets que tu ne reviendras jamais.

Il me faut trouver la volonté d'écraser quarante-cinq ans de vie avec mon fantôme préféré.

Ce spectre, ce n'est pas toi. Je t'ai créée de toutes pièces et magnifiée par un imaginaire débordant. Enfant, j'ai été heureuse d'avoir une chimère plutôt que ton absence constante. Du piédestal sur lequel je t'avais déposée, maintenant, tu glisses doucement vers la réalité : tu n'es qu'un corps sans vie grignoté par les vers de terre… C'est clair et rationnel, mon âme d'adulte accepte enfin. La petite fille de huit ans a grandi !

Je reste prudente ; j'ai tout de même la frousse de craquer comme une feuille desséchée sous un faux pas : mon cerveau.

Heureusement, je suis bien entourée et passionnée par la vie.

Et puis j'ai un cœur gonflé d'amour qui inonde mes enfants.

Je partage mon quotidien avec un homme dans la tendresse et la bienveillance : je l'aime passionnément.

J'aime chérir.

Ma plus belle réussite, *maman*, est celle-ci : habillée de mes failles et revêtue de mes forces, je me sens aimée pour ce que je suis.

C'est l'été, il fait très chaud. Allongée sous mon arbre préféré, la brise amenée par le feuillage de mon chêne me rafraîchit langoureusement. La volupté de ces caresses sur ma peau me berce. Je suis bien. Je suis en paix. Les yeux fermés, je te dis cette ultime phrase :

« Pars, *maman*, vis ta mort, je vais vivre la vie que tu m'as donnée. »

## Victoires

J'ai cinquante-cinq ans, j'ai terminé mon livre par le chapitre « Maman » et je tourne la dernière page pour écrire mes remerciements. Tout devient possible ! J'affectionne particulièrement les histoires de vie qui débutent dans le chaos et se terminent dans une certaine quiétude. Sûrement les contes de fées qui s'animent encore dans mon âme d'enfant…

Tel un fœtus, je navigue à nouveau dans le ventre d'une mère. Je n'ai ni faim ni soif, je ne connais plus la sensation de froid. Dorénavant, le départ précipité de ma mère ne résonne plus dans ma tête comme un bruit discordant et douloureux. J'ai passé des années à chercher ma maman ; je l'ai enfin retrouvée. Dans un silence religieux, je l'aime sans bruit.

Saisir au vol des aubaines devient ma préoccupation première et allège mes maux d'antan. Soulagée, je clos ce livre et le propose à l'édition.

Un imprévu m'attend à la publication de mon livre. Il va me rappeler combien je reste sensible aux coups bas de la vie. Comme tout un chacun.

C'est un matin où le soleil brille de mille feux ; la journée va être belle. Avec nonchalance, le facteur me glisse un courrier avec accusé de réception. Je reconnais tout de suite l'écriture ronde avec ses caractères liés par une boucle. Ma sœur Margot m'écrit. Je ne l'ai pas revue depuis sept ans. À ce jour, seule l'obscurité nous enveloppe, signe de notre divorce sororal. Depuis longtemps, nous ne nous comportons plus comme des sœurs.

Je n'ouvre pas ce pli : je pressens un piège. Je n'ai pas besoin de lire, je sais à coup sûr que son contenu aura un goût amer. Sans vouloir en connaître la nature, je souhaite brûler cette correspondance. Cependant, la curiosité l'emporte. Tremblante, je décachette l'enveloppe, déplie le feuillet et lis.

L'objet s'intitule : « Mise en demeure ». Margot demande le retrait de tous les exemplaires de mon livre, *Le fantôme de ma mère*. Sans accusé de réception, elle informera son conseiller juridique, qui prendra les décisions qu'il estimera nécessaires.

Abasourdie par la teneur de ce courrier, je prends deux jours de réflexion pour lui répondre. Guidée par mon tendre compagnon, nous entamons une réponse concise. Pour calmer son assaut, nous résumons notre missive à : « Nous prenons acte de ta demande et nous allons entamer des démarches auprès de l'éditeur. »

Sans attendre cette réponse laconique, Margot sollicite le procureur de la République. Dans mon dos se trame une autre infamie.

Un après-midi, affalée sur mon canapé noir, j'entends quelqu'un tambouriner à ma porte ; je somnolais. Réveillée en sursaut, je me précipite pour ouvrir : un homme immense est planté devant moi. Avec dédain, il me jette un regard et, rapidement, le reporte sur un dossier qu'il tient entre ses mains. Sans détour, il décline mon identité et celle de ma sœur. Troublée, je perds pied. Mon regard ahuri amène cet homme imposant à se présenter. C'est un huissier de justice.

Je ne comprends rien à sa présence ici. Je n'ai pas le temps de reprendre mon souffle qu'il enchaîne sur une phrase brève et stupéfiante :

— À la demande de Mme Margot… vous êtes assignée devant le tribunal judiciaire de Libourne.

Je suis abasourdie. Pourtant, après quelques secondes de silence, ma bouche s'énerve. Des mots crus en sortent.

— Elle est folle !

Margot a soumis sa plainte à un juge référé.

Après s'être délesté de son fardeau, l'officier public ministériel s'en retourne. Ma réaction est immédiate : je jette à travers le salon ce paquet qui me brûle les doigts. L'agrafe se détache et le plancher se recouvre de feuilles éparses. Mon geste est insensé, je le sais. Sans ne rien ramasser, je regagne mon canapé et, anxieusement, réfléchis. De façon brutale, mon cerveau intègre que j'ai un « procès au cul » venant de ma sœur !

Je me lève brusquement et regroupe ces feuilles recouvertes de caractères noirs. Je les trie par numéro de page. Je sais par avance que la lecture qui s'en suit va me briser. Je lis, il le faut bien…

Seule à la maison, j'encaisse les propos accusateurs retranscrits par l'avocat de ma sœur. Envahie par la colère, je me pose la question suivante : « Comment ose-t-elle, par l'intermédiaire de la justice, m'embarquer dans cette histoire de fous ? »

Pourtant, je n'ai pas écrit un livre sur Margot : je relate des faits qui tombent sous le sens de l'histoire. Je ne fais que les narrer. J'exprime aussi ma désolation de ne pas avoir une relation proche et affectueuse avec elle. Une nouvelle fois, je me pose la question suivante : « Pourquoi ce procès d'intention ? »

J'affirme haut et fort que je ne cherchais pas à lui nuire. Je n'ai pas plus de regrets d'avoir sali la mémoire de son père, comme elle l'affirme. Notre père n'était hélas qu'un phallocrate autoritaire, sans une once de compassion ni d'affection pour ses trois enfants.

Face à son attaque, il est impératif que je me défende. J'y suis obligée : c'est la loi ! Je déniche alors un avocat. Je ressens en moi un dégoût féroce à cette rocambolesque pièce de théâtre judiciaire. La citation suivante approuve mon ressenti : *Il n'y a point de plus mauvais procès qu'entre sang et sang.* Je suis abattue comme une quille au milieu d'un désert de haine : je suis sidérée par l'acte incongru et agressif de ma sœur.

Les avocats des deux parties s'affrontent via deux articles de loi. Une joute s'ensuit sur la « violation de la vie privée » et la « liberté d'expression ».

Le procès a lieu. Selon l'ordonnance délivrée par le juge, le livre peut poursuivre son chemin. Pas besoin d'y changer une virgule. Mais la victoire est amère. Entre-temps, le livre a été retiré de la vente et son éditeur ne veut plus le commercialiser.

Deux ans ont passé, et je rédige aujourd'hui ce chapitre supplémentaire. Si vous le lisez, c'est que ce livre a pu trouver un nouveau chemin.

Margot m'inspire de la pitié : elle a toujours réglé ses désaccords via la justice. Procédurière, elle est incapable d'affronter ses conflits par le dialogue. Pauvre Margot…

Pendant quelque temps, j'ai été navrée par la tournure qu'a prise cette triste relation avec ma sœur. Bien qu'entre nous, le silence se soit installé depuis huit ans, je ne renâclais pas à faire vivre Margot dans mes pensées. À nouveau, je la pleure. Mais là, avec ce procès, je la perds définitivement.

Dorénavant, dans ma tête, l'existence de Margot est effacée. La vie n'est pas toujours un fleuve tranquille, mais si un courant vient retourner ma barque, je nagerai sans discontinuer pour regagner une rive apaisante qui n'attend que moi. C'est fini, je ne me noierai plus dans les méandres de cette âme aussi sournoise. Ma sœur est morte.

Je gagne un round : cette nouvelle déconvenue ne m'anéantit pas. Je découvre même, dans cette épreuve, une délivrance : je ne suis plus envahie par une émotion dévastatrice. Je retrouve assurance et confiance en moi : je n'ai rien fait de mal. Depuis, une quiétude s'installe tranquillement et sûrement en moi.

Je crois que je guéris.

Contrairement à ce que je redoutais, la sortie de ce livre ne m'apporte pas que des désagréments. J'informe mes proches que mon ouvrage se trouve sur un site. Je mets aussi beaucoup d'ardeur à rechercher des personnes que j'ai perdues de vue : je souhaite partager avec elles ce récit dont elles sont actrices.

Deux personnes retiennent particulièrement mon attention. Nous ne nous sommes plus rencontrées depuis une quarantaine d'années. Avant de contacter Mireille et Arnaud, il faut que je m'assure que je ne les blesserai pas s'ils me lisent. Je feuillette à nouveau le chapitre « Pupilles de l'État ». C'est l'époque où je vivais avec mon frère dans une famille d'accueil. Mireille et Arnaud étaient mes gardiens. C'est ainsi qu'ils étaient nommés par la DDASS (ASE aujourd'hui). Associé aux matons de prison, ce terme « gardien » est maintenant banni. Pourtant, ce mot, je l'aimerai toujours. Il reflète ma vie avec eux. Ce sont les seuls « parents » qui ont su faire grandir une certaine sérénité en moi. Ce furent mes gardiens de la paix, au sens littéral de la phrase.

À la relecture de ce chapitre, quelques mots attirent mon attention : « J'ai une totale confiance en eux, je les aime… » Une autre phrase confirme mon envie de les rechercher : « Pendant deux ans, je vis sur un petit nuage. » Dans mon enfance, ce furent mes meilleurs moments. Je donnerai bien une suite à cette aventure affectueuse.

Après de longues recherches, je trouve enfin l'adresse de Mireille. Que vais-je pouvoir lui écrire ? Des doutes m'assaillent. Peut-être m'a-t-elle oubliée ? Ce serait ridicule, on n'efface pas de sa mémoire une gamine de treize ans que l'on a choyée pendant plus de deux ans. Impossible !

Me voilà plus en confiance, mais il faut que je prenne un risque. À ma lettre, Mireille pourrait demeurer silencieuse. Le supporterais-je ? Ce serait une seconde rupture avec le meilleur moment de mon enfance. Je n'ai pas envie de l'entacher avec une déception…

Je traîne autour de cette idée comme un lion en cage. Je ne veux pas souffrir, mais un féroce appétit d'amour l'emporte. Je fonce ! Tout en me planquant derrière un fatalisme : je ne cherche plus à convoiter ce que l'on ne peut pas me donner. Ma lettre est concise, pour éviter tout effet intrusif dans la vie de Mireille. Ce n'est qu'une invitation à lire mon livre. Tant pis si je n'ai pas de retour.

Je n'ai pas à attendre longtemps. Quelques jours plus tard, je reçois un appel sur mon répondeur ; le numéro qui s'affiche m'est inconnu. J'écoute le message et j'entends cette voix à la fois familière et décalée dans ma vie d'aujourd'hui. Avant de sauter de joie, j'écoute plusieurs fois ses mots pour m'assurer de leur véracité, et plus encore pour réentendre cette voix que j'ai tant aimée. Les mots sont un peu précipités, mais la mélodie jouée est exactement celle que j'entendais, petite fille. J'ai envie d'enfermer cette voix dans un coffre à bijoux. Je souhaite garder cet élixir magique pour moi seule. Je ne le fais pas et me livre à Thierry.

Pendant un temps, j'hésite à donner écho à la voix de Mireille. Je crains maintenant que les retrouvailles ne soient pas à la hauteur de mes fantasmes. Thierry me formule une mise en garde :

— Je crains que tu t'emballes et que tu sois déçue.

Il n'a pas tort car j'ai déjà enfilé mon costume de petite fille et ne rêve que d'une chose : courir dans les bras de Mireille… J'ai quand même cinquante-cinq ans !

Malgré mes inquiétudes, je prends mon portable et fais sonner celui de Mireille. Un doux échange s'ensuit, nous résumons les quarante années passées. Ses petits garçons, que j'ai connus à l'époque, sont devenus pères. Mireille est donc grand-mère. Et moi, je suis devenue mère.

Puis nous retraçons les grandes lignes de ce morceau de vie où nous existions l'une avec l'autre. Bien évidemment, nous parlons de la disparition de mon frère, de cet adolescent qu'elle a connu et qu'elle a chéri. Pour ma part, les mots sur lui sont encore douloureux. De lentes et silencieuses larmes coulent le long de mes joues : je suis très émue. Enfin, je parle à quelqu'un qui a connu Éric : il revient parmi nous ! Mes gardiens sont les dernières personnes avec lesquelles je peux partager des bouts de vie communs avec mon frère. Il n'est plus résumé à son destin tragique ; il n'est pas qu'un suicidé !

Mireille m'envoie des photos d'un album où nous nous trouvions tous les deux avec eux et les petits. Sur une photographie, j'observe le visage souriant de mon frère. Son regard n'est pas engoncé par le malheur et la déprime : il respire encore, et avec joie ! Je ne me lasse pas de regarder cette vie à six.

Ces images traîneront ici et là sur mon bureau : on y voit mon frère dans une autre posture qu'à la morgue, pâle et figé sur un brancard. Des souvenirs ressurgissent de ma mémoire, de cette partie de notre enfance qui fut aussi la meilleure pour Éric.

Naturellement, une rencontre s'impose entre Mireille et moi. Nous décidons de nous rejoindre à Bordeaux pour déjeuner chez elle. Je prends le train. À la gare, ma fébrilité est à son comble. Nous sommes tous masqués, Covid 19 oblige ! Seuls les yeux apparaissent : il va être difficile de se retrouver dans cette immense gare. Et pourtant…

J'avance avec peine ; mes pas sont lourds et je perds l'équilibre. Accrochée à la rambarde de l'escalier, je monte doucement les marches, comme pour reculer la rencontre. À la sortie, plusieurs personnes attendent des voyageurs. Mon regard balaie cette foule et s'arrête sur une femme longiligne. Je croise son regard : c'est elle ! N'écoutant que mon émotion, je me précipite vers elle, nous nous embrassons à travers nos masques. C'est insupportable, il faut qu'on se touche. Délicatement, je la prends dans mes bras et plonge dans l'odeur discrète de son parfum. Elle répond à mon élan et m'enserre. Je suis rassurée.

Derechef (elle n'a pas perdu de sa vivacité), elle met son bras sous le mien et, avec fermeté, m'emmène vers le tram. Les mots ne sortent pas tout de suite : je suis intimidée. Nous profitons en silence de nos retrouvailles. J'explore ses yeux que je reconnais si bien ! Les rides n'ont pas entaché son doux regard. Je détaille son grand front et ses fins sourcils toujours aussi bien dessinés, ses cheveux coupés courts : elle n'a pas changé !

Je me laisse guider dans les rues de Saint-Michel. Elle s'arrête devant un immeuble en pierres, ouvre une porte de bois peinte en bleu. Nous gravissons quelques marches en marbre, elle tourne la clé de son appartement : je découvre l'antre de Mireille. Tout de suite, je sens une odeur de plat qui mijote. Elle m'installe à une table qui fait office aussi de bureau. Le couvert est mis, les assiettes se remplissent et nous entamons une conversation à bâtons rompus : nous avons tellement à nous dire ! Des larmes, des sourires et des rires remplissent la pièce, je suis particulièrement touchée par une de ses phrases : « Tu étais une petite fille adorable ! » Dans ma vie d'enfant, je n'avais jamais reçu pareil compliment. Enfin, j'entends que je plaisais à une adulte qui m'a éduquée : j'en suis toute bouleversée. L'image qui a traîné de moi, petite, demeurait le boulet qu'il fallait caser à tout prix quelque part.

C'est avec impatience et joie que nous renouvelons des rencontres. L'été qui suit, Thierry et moi sommes invités à passer quelques jours à la montagne avec Mireille, ses enfants et petits-enfants. Arnaud, l'ours des montagnes, nous rejoint quelques jours. Tous les deux, nous avons vieilli. Perplexes, nous nous regardons. Je ne peux pas m'empêcher de poser ma tête sur ce torse qui m'avait protégé, notamment des infamies de ma famille de sang.

Mon fils, Fabrice, porte le prénom de son premier enfant, pour lequel j'ai éprouvé une immense tendresse. Cette décision de prénommer ainsi mon garçon, je l'avoue à cet homme maintenant âgé quarante ans. Ses yeux sont embués. Il dit être touché par cette confession. Je me rappelle bien l'autre petit, Mathieu : il traînait son doudou à chaque pas qu'il faisait.

Lors de ces merveilleuses vacances, j'ai appris par Mireille que Mathieu lui a susurré cette phrase :

— La famille s'agrandit…

Grâce aux mots de ces deux hommes, j'ai l'impression de ne plus être une « sans famille ». Elle est là ! À ce jour, Mireille a soixante-quinze ans : elle aurait pu être ma mère, et j'aurais pu être la grande sœur de Fabrice et Mathieu.

Assez fantasmé ! Je les ai retrouvés, c'est bien là le principal. Dans mon présent, je suis à nouveau liée avec eux. Je délaisse alors ma nostalgie pour laisser place à ce nouveau partage et pour le futur, advienne que pourra !

Je ne mélange plus ces temps, passé, présent, futur : mes ressentis sont au goût du jour. Plus de chagrins macabres, plus de projection dans un futur meilleur, la réalité vraie nait le matin à chacun de mes réveils.

Je pensais être guérie.

Pourtant, on ne se remet jamais complètement de ce handicap. La bipolarité demeure en nous. À vie, je serai condamnée à supporter ces humeurs changeantes à tendance dépressive. Cependant, elles évoluent grâce à des régulateurs d'humeur, associés à une thérapie, béquille sur laquelle je continue de m'appuyer, et à ma volonté de surmonter cet accident mental. Je prends soigneusement mes médicaments. J'accepte ce handicap et n'attends plus de compassion, de compréhension de mes pairs. Je l'assume seule tout en sachant que mon compagnon, en cas de faille, est là pour me soutenir.

Tout un arsenal est ainsi déployé pour pallier mes angoisses récurrentes et mes nuits chaotiques. Car une nuit sur deux, je dors trois ou quatre heures. Cela ne suffit pas pour vivre une vie ordinaire et sans risque.

Ces troubles du sommeil provoquent un épuisement. Les trajets aller et retour du lycée deviennent ardus. Ces trente-cinq minutes de route se transforment en cauchemar. Soit je m'endors, soit je sombre dans une crise de panique. Cette dernière m'empêche de raisonner normalement : mon cerveau émotionnel part en vrille et le rationnel n'a plus son mot à dire. Ma jambe droite se met à trembler, mon pied est bloqué sur l'accélérateur ; je ne dépasse pas les quarante à l'heure. Obligée de m'arrêter sur le bas-côté, je m'effondre sur le volant en pleurant. Vite, un anxiolytique pour résorber cette panique ! Et un coup de fil à Thierry pour qu'il me change les idées et me rassure. J'attends une demi-heure avant de me décider à reprendre le volant. Une autre fois, piquant du nez par manque de sommeil, je me retrouve sur la voie de gauche. Il faut absolument arrêter de prendre ces risques afin d'éviter une catastrophe routière.

Du coup, je reste chez moi. Grosse surprise, j'y suis bien ! Je ne crains plus d'être seule, confrontée à mon esprit torturé. Le départ de Thierry au travail ou à ses activités extérieures n'est plus ressenti comme un abandon. Je progresse et j'envoie « chier » ma pathologie. Je contrôle enfin, je ne me tourmente plus avec des pensées noires. Je respire chaque jour, je suis contente de me lever : j'ai plein d'idées en tête pour vivre ma journée. Bien que je souffre encore, certains jours, de pensées morbides, cela ne dure pas plus de quelques heures. Patiemment, j'attends le jour suivant, car je sais, maintenant, qu'il sera meilleur. Je ne m'abandonne plus à une phase dépressive, je la combats et je gagne !

Mes drames passés, mes morts ne pèsent plus sur mon présent. Ils sont relégués au passé. J'ai brûlé tous les courriers de mes maltraitants : père, la tata et pour finir ceux de Margot. De plus, en les ignorant, je refuse qu'ils atterrissent dans mes pensées. Je fais moins de cauchemars, je souffre moins de réveils douloureux.

Je m'assure et suis rassurée que jamais plus je ne sombrerai dans des phases maniaco-dépressives. Je suis prête de nouveau à être une personne ordinaire, à vivre une vie commune et à jouir d'elle. Je lis, cuisine, jardine comme avant… avant cet accident qui a duré une quinzaine d'années. J'aurai comme tout un chacun des humeurs changeantes, mais bien moins dangereuses pour mon équilibre. Je renais, mais cette fois-ci dans une harmonie que je n'ai encore jamais connue. J'ai plein de projets, c'est merveilleux !

Je ne crains plus de vivre.

J'avais terminé ce livre sur une note d'espoir et non d'accomplissement. Il manquait mes victoires.

# Remerciements

Un récit de vie, c'est comme une toile d'araignée, nous n'avons jamais fini d'en tirer le fil de soi(e).

Votre amour a rendu possible ce « chantier » : la création de cet ouvrage.

Merci à mon compagnon de tous les jours, Thierry Cancian, ton soutien amoureux et ton regard critique sur mes écrits ont permis à mon livre d'aboutir.

Mes enfants, Fabrice Pangon et Amandine Pangon, vous avez été mon moteur pour dépasser ces drames et cette violente maladie.

Merci à tous ceux dont j'eus/ai le plaisir de recevoir leur tendre affection : Je vous voue un réel attachement. Merci de m'avoir permis de toucher votre cœur.

Et sans une thérapie avec LA bonne personne, le docteur Amélie Lemesle, je n'aurais pas pu engager ce combat. Toute ma reconnaissance à elle.

Imprimé en Allemagne
Achevé d'imprimer en mai 2022
Dépôt légal : mai 2022

Pour

Le Lys Bleu Éditions
40, rue du Louvre
75001 Paris